故事臺灣史 ④

22個
代表臺灣的
關鍵事物

胡川安・總策劃
林于煖、胡川安、郭忠豪、涂欣凱、陳世芳、陳坤毅、藍秋惠、萬育萃・著
慢熟工作室・繪
陳文松（國立成功大學歷史系教授）・審定

作者序
獻給下一代的臺灣史

　　你知道 1950 年代的臺灣，沒有電視可以看的日子裡，連阿嬤也懂得「斗內」嗎？現在流行的歌唱節目，早在 1960 年代就有開山始祖「群星會」？永和又為什麼會成為豆漿的代名詞呢？每段歷史背後總有精采的故事。每個人都喜歡聽故事，但是卻不是每個人都喜歡讀歷史。因此希望這套《故事臺灣史》，是讀者的第一套臺灣史讀物，讓他們能在課本之外的地方還可以自己閱讀臺灣史的故事。

　　我們發現過去寫給小讀者的臺灣史故事，偏重從「編年」的角度看臺灣的過去，著重於各個時期的改朝換代，比較少著墨究竟是哪一些事件影響了現在的臺灣。但是臺灣在還沒有文字紀錄前，其實已經有許多族群在這座島上生活，也因為他們為臺灣加入不同養分，讓臺灣長成現在的樣子。

　　臺灣歷史的特殊性，只從「時間」切點是無法完全勾勒輪廓的。因此，我們嘗試在堅實的知識上，運用輕鬆的筆法描繪臺灣的過去，並加入了空間、人物和生活事物的故事介紹，從「人」、「時」、「地」、「物」來貫串在臺灣島上發生的事件，透過彼此之間相互聯繫，將臺灣的歷史更加豐富的呈現出來。

　　除此之外，我們也把視角拉出臺灣，從世界史的角度思考臺灣的定位，了解臺灣與世界的關係，因此《故事臺灣史 1：10 個翻轉臺灣的關鍵時刻》以時間為切點，挑選出十個臺灣的關鍵時代，介紹每個時期臺灣島上究竟發生了什麼事情，再想一想這座島嶼跟世界的關係，了解臺灣經歷了哪些改變，為什麼臺灣

是現在這個樣貌，也有許多影響關鍵時刻的政治領導人物故事介紹。人物是歷史的靈魂，也是歷史的主體，因此《故事臺灣史 2：22 個改變臺灣的關鍵人物》希望可以讓讀者認識社會中各領域重要的歷史人物，從這些人物的生命故事中，了解他們在臺灣歷史發展的貢獻，窺見不同時期各領域發展的樣貌，希望豐富讀者對於臺灣歷史人物的認識。《故事臺灣史 3：20 個奠基臺灣的關鍵地點》則想透過「地點」來探討臺灣歷史。地點決定了歷史的場景，空間架構了歷史的範圍，因而此書從「自然地形」、「人文部落匯聚之地」、「六都的形成」三個方向探討臺灣歷史的發展。

在《故事臺灣史 4：22 個代表臺灣的關鍵事物》中，透過「食、衣、育、樂、住、行」六個生活層面來認識各種事物的來歷，以及臺灣文化的變化。這些生活面向可以呈現歷史發展的淵源，像是為什麼臺灣有許多小吃和點心都是米做的？或是臺灣的下午茶文化居然不是來自歐美？臺灣獨有的辦桌文化、客家人與外省人帶來的料理，又分別帶來什麼樣的臺灣味？除此之外，各時期的建築風格、教育活動、交通旅行和娛樂活動都有不同的風貌──各種樣式建築在怎樣的時空背景，因著設計師和使用者的需求而有不同表現方式；臺灣的義務教育到大學發展，每個階段都是臺灣啟蒙和獲得知識的地方，也是孕育人才的場所，又在臺灣歷史上有著什麼的影響；旅行交通影響著島民們的聯繫和交流，從腳踏車、鐵路、公車到大眾運輸系統的發展，促進彼此的溝通。而娛樂是我們生活中不可或缺的調劑，「再忙也要跟你喝杯咖啡」的來歷是如何？臺灣的流行音樂如何興起？引起遊客到處打卡的旅遊景點是怎麼來的？本書讓大家從生活中理解歷史，了解我們周邊的大小事究竟如何一步步變成我們現在的生活樣貌。

歷史不只是過去發生的事情，還會與現實互動，從關鍵的時間點觀察臺灣史，可以發現臺灣島徘徊在不同的強權間，直到一百年前才漸漸有了自己的認同感。不過，書中所陳述的並不是臺灣歷史的全部，而是一把又一把鑰匙，希望藉此讓更多朋友認識臺灣的過去，面對臺灣的現在。隨著時代的改變，我們也要思考什麼樣的歷史觀點符合現在，甚至是未來的社會，以及臺灣的未來。

國立中央大學中國文學系助理教授

胡川安

藍鵲老師

年齡不詳，沒有人知道他從哪裡來，隨時隨地都拿著書不放，是個彷彿什麼都懂，什麼都知道的歷史專家。每到一個地方，都可以侃侃而談，說出屬於那裡的故事。

小安

11歲，一年級時曾搭鐵路小火車上阿里山玩，覺得那裡充滿神祕氣息，從此愛上鐵道旅遊。最喜歡做的事情是「吃東西」，只要有好吃的食物，什麼地方他都願意去！

彎彎

10歲，小安的鄰居。藍鵲老師是她和小安的祕密朋友。她最喜歡在週末時跟著藍鵲老師，四處旅行，了解臺灣的故事。

目錄

影響臺灣關鍵物件

飲食篇

原住民以狩獵及就近取得的食材為主。

荷蘭人引進豌豆、番茄等蔬菜。

閩南人&客家人帶來閩菜、客家菜。

日本人改良稻米、引進日式料理文化。

帶來燒餅、油條及八大菜系飲食文化。

§第一章§
臺灣第一美食：小吃

　　臺灣是一個移民社會，不同時期來到這塊土地的移民，總會帶來自己家鄉的食物與特殊的飲食文化，經過一段時間後，這些來自大江南北、甚至不同國家的食材與飲食文化慢慢融入臺灣社會，並依據當地人口味調整，產出屬於自己的「臺灣味」。而說起「臺灣味」的代表，最有名的莫過於各地的點心或小吃了！究竟為什麼臺灣會有那麼多特殊的「小吃」呢？

夜市是許多觀光客和在地人最喜歡到訪的小吃聚集地。

早期臺灣人的食物

　　想知道「臺灣味」，我們得先從了解這塊土地的人群和環境開始。

　　如果你去訪問距今一萬八千年前、在冰河時期來到臺灣的史前人類，會發現他們主要以狩獵、捕食貝類或是魚類維生，也已經有人開始發展基本穀物與糧食種植。

　　到了十七世紀，荷蘭人來到現今臺南的臺江內海地區，並建立熱蘭遮城，也引進了釋迦、蓮霧、豌豆、土芒果等植物，還從印尼引進牛隻、招募了中國東南沿海地區的漢人來到臺灣開墾。這群漢人以種植甘蔗為主，再製成蔗糖，主要外銷到日本和波斯，部分則運回印尼的巴達維亞。

　　糖除了具有高度的經濟價值，也具有醫學與保存食物功能，用途廣泛。除了荷蘭人之外，後續來臺的鄭氏家族、清帝國與日本人都非常看重糖業的發展，也都曾在臺灣大舉種植甘蔗，並在雲嘉南地區設置許多糖廠。不少歷史學家研究指出，臺南地區的飲食之所以偏甜，除了是糖的主要產地外，一部分也是顯現自己的富庶，因為當時的糖是珍貴的產物，並不是人人都可以食用的。

米食點心 VS 麵食點心

清帝國治臺時期，更多閩粵漢人遷徙到臺灣，當時這些漢人也將中國的秈稻帶到臺灣種植。到了日治時期，磯永吉博士將秈稻（在來米）改良成口感更佳的粳稻（蓬萊米），加上水利專家八田與一建設嘉南大圳，改善了雲嘉南地區灌溉系統與土地品質，使得稻米產量大增，也讓米食除了作為臺灣的主食之一，還有餘裕外銷。

好米帶來好點心，也因此臺灣「米食小吃」的發展具有明顯的地域性。像是嘉南大圳完工後，造福雲嘉南地區稻米豐收，因此臺南地區有許多以秈米製成的食品，像是碗粿、肉圓、蘿蔔糕、米苔目與米粉，或是以較黏軟的糯米製成的飯糰、油飯、米糕、年糕、糯米大腸與湯圓、草粿、芋頭粿等，這些粿類食物既是節慶的祭祀供品，也是臺灣社會早期的點心。

不過，那些帶有「洋味」的麵食點心又是怎麼到臺灣的呢？其實最早與日本人有關。像是我們常吃的車輪餅，就是由日本傳來的銅鑼燒演變而成的。日治時期臺灣開設了不少日本和菓子店，供應精緻的點心給高級日本料亭或是日本官員聚會時享用，但也有少數流入民間，改良成具有臺味的點心。

到了二次大戰後，美國為了防堵共產主義的崛起，因此提供多項經貿援助與物資給東亞國家，臺灣也包括在內，其中「麵粉援助」更大大改變了臺灣的飲食習慣。由麵粉製作的各種麵食、包子、饅頭與燒餅油條，也漸漸成為臺灣飲食主流之一。

1990 年代臺灣解嚴後，社會發展趨向多元，大家有機會到海外旅遊參觀，將更多西式飲食帶入臺灣，

當時物資缺乏，由美國提供的麵粉袋還被用來做成衣服，真是物盡其用呢！

加以改良後發展成具有特殊風味的臺味小吃，像是夜市牛排、臺式漢堡，還有俗稱「沙威瑪」的土耳其旋轉烤肉等，是不是看了就讓人很想大塊朵頤呢？

小吃和它們的產地

　　雖然臺灣小吃點心種類繁多，而且仍持續開發，很難將所有食物種類納入討論。不過，如果你仔細觀察各地小吃的特徵，也能找出許多有趣的地方。

　　有些小吃點心具有普遍性，在臺灣各地都能看到。像華人喜愛「進補」，許多食物烹調會加入漢方藥材，宣稱具有「食補」效果，例如藥燉排骨、燒酒雞、薑母鴨與四神湯與仙草茶等。有些小吃則比較有地域限制，像是清帝國時期的重要港口彰化鹿港或是安平地區，由於位居港口，養殖業很發達，當地都盛產蚵仔，以蚵仔加上地瓜粉製成的「蚵仔煎」因而成為著名小吃。

　　有趣的是，有些小吃各地都有，口味卻大相逕庭——像是在彰化地區習慣以油煎方式處理肉圓，外皮酥脆且餡料札實。但在臺南地區所製作的肉圓，多會加上火燒蝦，並以清蒸方式處理，製成蝦仁肉圓，兩地的口味截然不同。

　　此外，臺灣氣候炎熱，飲料冰品向來深受大眾歡迎，像是古早味紅茶、冬瓜茶、刨冰、仙草凍、愛玉、豆花，或是可以加入各種各式配料的甜湯等。到了1980 年代，泡沫紅茶開始流行，當時到泡沫紅茶店喝飲料、吃茶點可是非常時髦的社交活動呢！

　　就連近幾年襲捲全世界的臺灣國民飲料珍珠奶茶，同樣也是在 1980 年代才誕生的，最初出現地點是臺南與臺中，當時坊間有一些泡沫紅茶店會提供各式茶飲和小吃，他們嘗試將粉圓加入奶茶中，結果這種新口感的珍珠奶茶大受歡迎，開始在臺灣各地流行，形成臺灣百家爭鳴的茶飲文化，從此手搖飲料也成為最近二、三十年臺灣最為馳名國際的特色美食。

夜市內的多元小吃文化

　　說到臺灣的小吃，一定不能忘記小吃的最大聚集地：夜市。臺灣從北到南，從西部到東部，每個城鎮均可見到大小規模不一的夜市，這裡已成為許多人生活中的休閒場所，既可閒逛也可大啖各種小吃，更是臺灣夜生活重要的一環。

　　近來許多夜市所販售的小吃，樣貌開始改變，雖然除了依舊熱門的雞排、地瓜球、滷味與珍珠奶茶等傳統臺式食物，還加入香烤山豬肉、竹筒糯米飯與小米酒等具有原住民風味的小吃，甚至是一些國外的飲食也加入行列，像是日韓飲食，壽司、拉麵、泡菜鍋、紫菜包飯與辣炒年糕等；而東南亞飲食也相當熱門，例如新馬的肉骨茶、海南雞飯、叻沙；泰國椰漿飯、緬甸的魚湯麵、粑粑絲與富有英國殖民風味的印度奶茶等，通通兼容並蓄的融入臺灣夜市中。

　　從傳統美食、異國風味到創新口味，無論這些食物從何而來，移民性格強烈的臺灣社會，就是有辦法把它們統統變成具有臺灣特色的「臺味」小吃。舌尖上的記憶，牽動的是四百年來歷史發展和文化融合，雖然名為「小吃」，卻承載著這塊土地的獨特，或許也是臺灣小吃嘗起來滋味如此豐富的祕密吧！

臺灣的夜市是怎麼出現的？

　　市集的出現源自傳統社會，由於人群交流與貨物往來較為不便，因此商家會將貨品帶至特定地區販售與交易，爾後才逐漸形成固定市集。

　　一開始，這些市集以廟宇前的廣場或空地附近為主要聚集地。難道是廟宇所祭祀的神明愛吃這些點心？還是因為有神明保佑，店家生意會比較興盛呢？答案其實與清帝國時期的漢人移民有關。

　　當時漢人移民渡海來臺，同時也將故鄉的信仰帶到臺灣，像是開漳聖王、保生大帝、三山國王與媽祖等，因此供奉這些神明的廟宇，自然而然成了移民們經常聚集的地點，久而久之，這些廟宇附近也發展出聚落，並成為小販們聚集販售小吃或是各式日用品的地方。比如基隆廟口小吃、新竹城隍廟、臺南赤崁樓、三山國王廟與水仙宮附近等，都是最初漢人移民交易貨品地區。

　　後來市集漸漸演變為出現在交通往來方便之處，有些更經過場地規劃，定期在大型空地上聚集，不同地區甚至還會規劃早市、午市、黃昏市，也有一些延伸到夜晚營業。夜市初期以貨品買賣為主，後來才加入販售地方小吃和遊戲區，然後又漸漸發展出現在這種結合吃、喝、玩、樂等綜合型市集的樣貌，並成為外國觀光客心中最有「臺灣味」的特色景點！

■ 臺北市的饒河街觀光夜市一帶，鄰近慈祐宮，舊時就是基隆、宜蘭等地貨物運送到臺北的轉運站，因而發展成市集。

1930 年代	臺南「沙卡里巴」（盛り場）市場初具雛形，戰後逐漸發展成小吃聚集地，又稱為康樂市場。
1974 年	3 月 1 日成立「交通部觀光局」負責推展臺灣觀光事務，也推廣臺灣飲食文化。
1989 年	「中華飲食文化基金會」於臺北成立，負責推廣中華飲食文化相關事務。
2007 年	9 ～ 10 月臺灣「經濟部商業司」舉辦「外國人臺灣美食票選」活動，選出有特色的臺灣小吃。
2010 年	「交通部觀光局」舉辦「特色夜市選拔活動」，讓國人上網票選有魅力、好吃、好玩以及有特色的夜市。
2011 年	臺北市政府舉辦「國際牛肉麵節」，吸引眾多牛肉麵業者參加比賽。
2013 年 12 月	交通部觀光局取臺灣黑熊形象，並以「喔熊」為名，作為臺灣觀光的吉祥物，吸引更多國內外觀光客。
2018 年	國際飲食評選「米其林」首次在臺灣進行餐廳評審，為臺灣餐飲業興起一波熱潮。
2019 年	政府提倡「擴大秋冬國旅補助」，並發行「200 夜市抵用券」，鼓勵國人消費。

臺灣夜市真的超好玩，
有得吃、有得玩，
還販售許多生活用品，
應有盡有呢！

不過可惜的是，
各大夜市特色小吃
相似度越來越多高了呢！

§第二章§
臺灣的辦桌與宴客文化

　　在古代，能夠擺設宴席款待賓客的，多是皇室高官或是有錢人家，通常是為了招待貴賓才舉辦宴會。不過臺灣特有的「辦桌」文化，感覺卻庶民許多，舉凡婚喪喜慶、神明生日、新居落成、公司尾牙……都有可能「辦桌」慶祝一下，究竟臺式辦桌和傳統宴客有什麼不一樣的地方？為什麼辦桌通常不在餐廳，而是在路邊搭起棚子舉行呢？

桌上的這些菜餚都有特別的涵義，你知道每一道菜代表什麼嗎？

來找總舖師辦桌

　　臺灣特有的辦桌文化，最早可以回溯到清帝國統治臺灣時期，許多福建、潮汕地區的漢人移民渡海來臺，也將宴客的習俗和方式一起帶來，當時的富裕人家或是官員會邀請廚師到家中料理菜餚宴客，這也是為什麼臺灣辦桌菜色比較偏向閩南菜系的原因。

　　到了日治時期，除了請廚師到家裡或是宴會場合烹煮外，也發展出各種「料亭」，也就是供應高檔日本料理的餐廳，通常會提供包廂，並請表演者來助興。

　　由於過去的餐館數量有限，許多人宴客的首選仍是沿襲傳統方式，找「總舖師」在私人場所做外燴、辦酒席並款待客人，俗稱「傳統辦桌」或「流水席」。無論是自家庭院空地、晒穀場、廟埕、鄰里活動中心或者道路旁均可作為場地，而總舖師通常也承攬宴席所有需要的大小服務 —— 在宴客當天，總舖師會開著發財車或貨車，帶著布棚、食材與鍋碗瓢盆，有些甚至還會帶著宴客所需的桌椅、餐具往返宴客地點，並指揮工作人員備餐。

辦桌最有特色的地方是：無論是洗菜、切菜、蒸煮與油炸食材，皆在現場處理，烹飪方式則非常講究古早味，也有不少傳統菜餚。另一方面，由於場地成本較低，因此在食材準備上的分量豐富，甚至還會搭配額外的表演──每當宴會開始，大紅桌上的豐盛菜餚，再加上現搭舞臺及歌手演出，五彩霓虹燈中總是散發著非常獨特的歡樂氣氛。

　　隨著臺灣的都市發展，人口漸由鄉村移往城市，許多人開始改在飯店或餐廳舉辦宴席，除了可以免去天候因素的影響，無論天氣炎熱或下雨颱風，都能如期舉辦，也不會因為在馬路上圍路辦桌而影響交通，又可解決賓客停車不易的問題。另一方面，菜餚由飯店內的專業廚房準備，衛生條件也會比露天烹調好；在高級飯店或餐廳中宴客，又能象徵社會地位與品味，所以傳統辦桌在都會地區也漸漸式微。

 ## 宴客菜色大有來頭

　　臺灣人什麼時候會想宴客呢？根據專家研究，臺灣人宴客的名目大致包括生命禮儀（像是嬰兒滿月、訂婚結婚與喪禮）、廟宇活動（如祈福、神明生日、中元普渡）、團體聚會（如同學會、尾牙與春酒）、新居落成以及調解糾紛等幾類。相較於平時的日常飲食，辦桌宴客意味著大家可以嚐到特殊口味與少見食材的菜餚。在過去物資貧乏的農業社會，宴客菜餚相對簡單，可能是各種肉類和簡單的海鮮料理等，但隨著時代改變，餐桌上的食材種類也有了變化，尤其是在臺灣經濟起飛後，宴席上的貴重菜色多以各種高級海鮮或是海洋漁貨為主，像是烏魚子、龍蝦、鮑魚（特別以「車輪牌鮑魚」最受歡迎）、海參、魚翅羹、紅蟳米糕、清蒸石斑魚、干貝等。

這些高檔海鮮食材的逐漸普及，不僅顯示臺灣人經濟能力，也反映了臺灣水產海鮮養殖業的進步。但近年來，隨著環保與動物意識的逐漸抬頭，有些向來被視作「好料」的食材，像是傳統臺菜宴席必備的魚翅羹，已開始減少出現，並以其他菜色或口感相似的食材取代。

不過，不變的是臺灣人的宴客菜單與菜餚，多半都有祝福的特殊意涵，例如，在喜宴中準備的菜色數目必為偶數，象徵「雙雙對對」；菜餚名稱也多採吉祥用語，讓賓主都能從這些精美菜色中得到祝福，例如福氣大拼盤、富貴雙方與團圓甜品，象徵著喜氣臨門。宴客食材的選用更有特殊意義，例如結婚喜宴一定有雞肉菜餚，像是人參燉雞湯、白斬雞等，因為「雞」的臺語發音與「家」一樣，因此取諧音吃雞代表「起家」的意思，鼓勵新婚夫妻建立美滿家庭。「豬肚排骨鳥蛋湯」這道菜餚也經常在喜宴中出現，因為豬肚不但是傳統臺灣人喜愛的食材，以豬肚包入鳥蛋也意味著祝福新娘可早生貴子。

在宴客即將結束前的最後幾道菜餚，通常會有「丸子湯」，一方面在告訴賓客宴席即將結束，一方面也象徵祝福新婚生活圓圓滿滿。而最後一道的冰淇淋或甜品，則是讓人在吃完一堆鹹食後可以吃個甜點收尾外，也有長輩們常說的：「吃個甜，讓你明年生兒子！」意義，這是因為傳統社會以務農為主，希望有男丁增添生產力。可見這些宴客菜名不只名稱有深意，連食材選用、烹飪口味都隱含著豐富文化智慧呢！

值得一提的是，宴客菜色甚少出現牛肉，因為傳統臺灣社會務農，牛隻幫助農民耕種，農家憐憫牛隻辛勞，多不吃牛肉。即使是後來年輕一輩已不再有這樣的觀念，牛肉也常出現在家常菜中，但在宴席辦桌上依舊少有牛肉料理。

宴客禮俗文化大不同

除了婚宴外，滿月酒、成年禮和壽宴這些象徵人生的新階段與生命延續的宴會，在臺灣文化中也十分重要，除了邀請親朋好友一同為孩子或長輩祝福，也能夠聯繫家族感情。在這些宴會中，常見的菜餚有紅蛋、油飯、蹄膀和壽麵等，都有吉祥如意的意思。

其中，臺南地區的「做十六歲」成年禮習俗更是特別。相傳以前臺南的五條港貿易興盛，碼頭需要大量的工人，許多孩子也會到碼頭當童工，但他們得到年滿十六歲時，才能跟大人一樣領全薪，因此在當時「十六歲」，就有成年的意思。早期臺南也有幫家中長子、長女「做十六歲」的習俗，會先到廟宇祭祀後，再「辦桌」宴客，宣告家中的孩子已經成年，可以領全薪，不過這項民俗到了今日，已經逐漸失傳。

臺灣各地除了有一些特別的宴客禮俗外，對於宴客方式的喜好也略有不同。像是南部多以傳統辦桌為主，尤其以臺南的外燴更是為人所稱道，許多有名的總舖師傅，會一手包辦眾多物美價廉，又有傳統特色的辦桌菜餚，如魚翅羹、紅蟳米糕、八寶丸、佛跳牆等都十分常見。但辦桌文化在北部就甚少出現，宴會聚餐多在飯店舉行，價格偏高。

　　另外一個在宴客場合中有趣現象是「紅包」文化，尤其是婚宴中，受邀賓客都會包紅包表示祝福，也能作為宴客主人籌辦宴席的補貼，早期甚至還有不少新人會運用禮金來創業或投資呢！不過，「到底要包多少錢？」常讓人覺得困擾。事實上，不同的場合會有不一樣的習俗，在傳統上，有「喜雙喪單」的說法。所以參加喜宴給的紅包，在禮俗上避免單數，金額多以二、六為主，表示成雙成對或是順利的意思；也有人會避開四或八的數字，因為認為代表「死、別」的意思。

　　從請客方式、宴客地點、菜色安排、紅包禮金到獨有的辦桌宴會文化，臺灣人的庶民歷史和人情義理都鮮活的寫在每一回的宴席上呢！

大事紀

1720 年代	清代臺灣社會開始出現「辦桌」雛形。
1960 年代	高雄內門地區廚師、肉商與餐飲業者合作推動辦桌服務，是臺灣辦桌師傅比例甚高的地區。
1972 年	行政院為了提倡生活簡約，曾推出五菜一湯的「梅花宴」。

1980 年代	臺灣經濟起飛，都市內餐廳飯店增多，許多婚宴餐會移到飯店內舉行。
1990 年代	臺灣水產養殖技術成熟，宴會不少水產來自在地養殖，包括石斑魚、九孔與鮑魚。
2000 年	隨著臺灣本土意識興起，近來許多活動會結合「辦桌」凸顯臺灣飲食文化。
2000 年	在陳水扁總統就職的國宴菜單上，首次出現臺灣本土食材與菜餚，凸顯臺灣飲食受到重視。
2013 年	電影《總鋪師》上映，提倡辦桌飲食文化的重要性。
2019 年	臺南市觀光旅遊局舉辦「臺南市總鋪師的辦桌故事」，有多道復刻經典辦桌菜餚，凸顯臺南辦桌菜餚重要性。
2019 年	臺北君品酒店邀請四大名廚舉辦「辦桌宴」，提倡傳統臺灣辦桌菜餚文化。

歷史故事延伸影音 ▶

公視青春發言人 -【臺灣史！不能只有我看到｜Ep.8】
百年飯局史

第三章

客家料理也是臺灣味

　　「客家人」是臺灣第二大族群，客家料理當然也是臺灣菜的重要分支。傳統客家菜講究「肥、鹹、香」，舉凡皮黃肉白、沾上蒜頭醬油膏或金桔醬食用的「客家白斬雞」，或是使用芹菜、豬肉絲與魷魚乾烹調而成的「客家小炒」，都是大家耳熟能詳的佳餚，也是許多人記憶中難忘的「臺灣味」呢！

各種醃製菜乾是客家菜常見的食材之一，像梅干扣肉就非常受到歡迎。

什麼是客家菜的傳統味？

　　「客家人」是在清帝國時期才大量移民來到臺灣，他們在中國原本就是相當特殊的族群，受到天災戰亂影響，經常遷徙流動，生活習性具有刻苦耐勞、節儉與勤奮特質，這些特質亦反映在他們的飲食文化上。

　　勤儉持家的客家人早期在沿山地帶或是山區從事開墾，菜餚強調重口味、下飯，能讓忙碌工作了一整天，沒有食欲的客家人能夠補充工作後所需的體力，不少典型客家菜都有類似風味，烹飪方式多使用豬油、油蔥頭與醬油，菜餚的口味則以「肥、鹹、香」為主，像是「客家小炒」與「梅干扣肉」，或是以五花肉配上筍絲、梅菜乾，再加上醬油燉煮的「客家封肉」等，都是重鹹、重油、重口味的菜餚，適合配著米飯食用。

　　你有沒有發現，客家菜少有海鮮類的料理呢？客家菜給人的第一印象就是「肉類料理多」，這與客家人生活環境息息相關。由於大部分客家人多居住在山區或丘陵地，距離海邊較遠，因此水產海鮮的食材也相對較少；就算有海鮮，也多以河蝦與河魚等淡水魚產為主。相較於閩南臺菜多以水產、海鮮或是各種湯湯水水的羹湯菜餚著稱，客家菜則常用雞肉與豬肉等肉類食材，較少食用牛肉與鴨肉。

梅干扣肉、白斬雞沾上桔醬，
還有福菜肉片湯……
我的口水快要流出來了！

或許也是因為客家人居住地較不便，加上個性勤儉，因此在食材處理上特別講究物盡其用，所以客家菜中也不乏使用牲畜內臟的料理。像是著名的「薑絲大腸」，就是以豬大腸加上白醋與薑絲料理，變成餐桌上的美食。

客家人是醬菜醃漬專家

或許你會有個疑問：為什麼早期閩南人也以農業開墾為主，但口味並沒有像客家菜這麼重呢？答案仍與客家人所居住的地點有關。由於客家人移民多在沿山地帶開墾，而沿山地帶並不像平原地區容易取得食材，加上當時早期沒有冰箱可以保存，久而久之，為了延長食用期限，客家人發展出了各種保存食物的方法，例如做成豆腐乳、乾製、醃製蔬菜與肉類等。

客家人非常擅長醃漬工法，他們會利用石頭揉壓，使蔬菜吸入鹹酸味道，製成醃蘿蔔、醃鳳梨等；或是利用曝晒等乾製技術，去除蔬菜的水分，方便久藏，像福菜、菜脯、梅菜乾、蘿蔔乾與筍乾等都屬此類；他們也會利用豆麴、豆豉與醬油等醬製方法，在蔬菜中加入醬汁，產生不同風味，像是醬鳳梨、醬瓜與破布子等。

這些醃製、乾製與醬製的料理方式，不僅可以延長食物保存時間，同時添加食物的鹹度，更能達到刺激食欲的作用。客家人不但會使用這些菜乾、醬菜製

作菜餚，也會加入各種鹹香的醬料調味或作為沾醬，例如豆腐乳、鳳梨豆瓣醬與金桔醬等，都是傳統客家菜常見的添味醬料。

除了醃漬物外，粄條和粿類食物也是客家人著名的主食之一，「粄」和「粿」都是將米磨成漿後蒸煮再製的食物，食用時會切成條狀，做成粄條湯、炒粄條、甜粄條等；粿類則是片狀或塊狀為主。這種由米製成的粄條或是粿類，不僅可以延長保存時間，同時也可作為祭祀食品，甚至還與生活文化結合，像是一些客家人會在元宵節時以糯米製作酬神的糕點「新丁粄」，表示感謝神明保佑，讓家裡新添了人口。

 ## 混搭風格新式客家菜

如果想吃最道地的客家菜，過去大家首先想到的地方必定是北部的桃園、新竹、苗栗，以及南部的高雄美濃、屏東六堆等傳統客家聚落。而今日除了這些客家庄，在都會區也有不少頗受好評的客家菜餐廳，不過因應現代人重視健康養生的趨勢，一些客家菜餐廳因而調整傳統菜色的口味，逐漸走向「少油、少鹽、少糖」，甚至還會與其他菜系交流混搭，讓整體菜色的呈現更為精緻、小巧與健康。

青菜蘿蔔各有所好，肥、鹹、香的傳統客家菜，至今仍是眾多人心目中無可取代的美味；但講究創意、養生，更符合年輕族群需求的新式客家菜，也有眾多的忠實擁護者。除此之外，近年來許多結合地方觀光的客家慶典，像是桐花祭、義民祭、客家花鼓節和客家博覽會等，更成為能同時認識客家文化與品嚐客家美食的絕佳旅程。在臺灣這塊兼容並蓄的土地上，最可貴的正是這種既能找到傳統，同時也能體驗到多元創新的豐富呢！

大事紀

1987 年	臺灣出現「客家運動」，包括「還我母語」以及文化等運動。
2001 年	6 月 14 日成立「行政院客家委員會」，推廣客家語言與文化。
2003 年	臺灣成立全球第一個客家電視頻道。
2003 年	中央大學成立「客家學院」。
2004 年	國立交通大學成立「客家文化研究學院」。
2006 年	國立聯合大學成立「客家研究學院」。
2008 年	第一部以客語為主的史詩電影《1895》上映。
2008 年	7 月 30 日客委會主委李永得赴巴黎宣傳「臺灣客家飲食文化」。
2010 年	立法院三讀通過「客家基本法」，意謂客家事務正式邁入法治化。
2016 年	「財團法人中華飲食文化基金會」承辦「苗栗縣客家美食 HAKKA FOOD 餐廳輔導計畫」。

第四章

改變臺灣飲食習慣的外省味

　　臺灣經歷荷蘭人、西班牙人、鄭氏家族、清帝國、日本政府、中華民國政府等不同政權的治理，數百年來，有許多不同地區和文化背景的移民往來島上，也改變了臺灣的生活樣態和飲食內容。

　　在過去，傳統臺菜料理主要受到日本與中國閩粵菜系影響，再加上在地食材與口味改良；不過到了二次世界大戰，大量的中國移民和軍隊隨著中華民國政府來到臺灣，帶來了更多中式菜餚（或稱外省菜）。究竟今日我們所熟悉的哪些食物是從「對岸」飄洋過海而來呢？

煮熟白色麵條，直接淋上肉燥就是乾麵，湯麵則是再加上大骨湯，有些還會加上幾塊豬肉片，這就是俗稱外省麵或陽春麵，也是平民版外省料理，與以油麵為主的「切仔麵」有些微不同。

因為戰爭開啟的飲食地圖

　　說到外省料理，常常會跟「眷村菜」綁在一起。這是因為二次戰後，由於國民政府在與共產黨的內戰中失利，約有一百多萬軍民跟著政府遷居到臺灣，陸續在各地蓋起眷村，築起「一年準備、兩年反攻、三年掃蕩、五年成功」大夢，包括高雄左營海軍眷村，岡山空軍眷村，臺南空軍眷村、新竹的空軍眷村、桃園的雲南眷村，以及大臺北地區等多處眷村聚落也漸漸形成。

　　這段期間來到臺灣的移民，後來被原本就住在臺灣的人們統稱為「外省人」。他們來自中國的大江南北，飲食文化本來就各自不同，更與經歷日本文化洗禮後的臺灣口味相距更遠，舉凡主食、副食、烹飪方式與消費模式都與臺菜大相逕庭。另一方面，1950 年代美國為了防堵共產主義與紅色中國崛起，不但經濟上金援臺灣，並供給臺灣大量的小麥和麵粉，以麵粉製成的食物快速增加，像是饅頭、燒餅油條與各式麵食等，這恰恰是外省族群原本就嫻熟的料理內容，從此臺灣人的餐桌上麵食比例也逐漸增加。日治時期以來，臺灣人以稻米為主食的習慣也開始有了轉變。

戰後隨著中華民國政府來臺的軍民人數眾多，外省餐館也跟著大量出現，但初期臺灣的外省菜餚涇渭分明，且多種菜系都有各自的擁護者。

其中拔得頭籌的是江浙菜，原因是當時國民政府不少官員來自江浙地區，所以江浙菜餐館才深受歡迎，也成為臺灣外省菜系主流之一。傳統江浙菜的烹飪方式注重刀工且味道較為清淡，包括我們熟悉的蘿蔔絲餅、小籠包、蟹殼黃、八寶飯、芋泥豆沙與酒釀湯圓等都屬江浙菜。江浙料理的水產和海產眾多，小菜也不少，像是烤麩、雪菜百頁、紅燒黃魚、紅燒獅子頭、無錫排骨、韭黃鱔魚與東坡肉等，都是大家耳熟能詳的菜色。在臺灣的江浙菜餐館中，經營最成功的莫過於以小籠包聞名世界的「鼎泰豐」了，這也是許多外國人來到臺灣必吃的一家餐廳喔！

其他外省菜系也頗具特色，例如「川菜」講究麻辣，菜餚味道較重且顏色鮮豔，著名的有麻婆豆腐、酸辣湯、宮保雞丁、蒼蠅頭、辣豆瓣魚、魚香茄子、銀絲卷與乾煸四季豆。與江浙菜講究清淡的水產海鮮相比，川菜烹飪多會加上花椒與辣椒，這些菜色口味很下飯，也十分受歡迎。其他地方菜系還有北方菜，如北平烤鴨、水餃、鍋貼與東北酸菜白肉鍋等；以及湘菜，如左宗棠雞、辣椒炒肉、剁椒魚頭等；或是以港式飲茶與燒臘拼盤馳名的粵菜，雖然口味各異，但都受到不少人喜愛。

上海口味的醃篤鮮、北京口味的合菜戴帽、沙茶牛肉爐、牛肉麵、麻婆豆腐都是來自對岸的口味呢！

牛肉料理進入臺灣

外省族群在飲食上影響臺灣最深遠的，首推「牛肉」料理，傳統臺灣是農業社會，農民感恩為農民耕作的牛隻，多不吃牛肉，不過在外省菜進入臺灣後，也讓「牛肉」這項食材漸漸進入臺灣人的飲食日常中。其中最著名的莫過於現在臺灣大街小巷四處可見的「牛肉麵」了。

有學者研究，臺灣牛肉麵最初起源於高雄岡山地區，當地眷村有來自四川的空軍眷屬，因為思念家鄉辣豆瓣風味，因此開始製作辣豆瓣。其後又有人把辣豆瓣醬加入白麵條和牛肉中，製成紅燒牛肉麵。後來這個來自岡山的牛肉麵廣受喜愛，因此輾轉流傳各地，至今已成為最具代表性的臺灣食物之一。

另外一項牛肉料理就是由廣東潮汕移民帶來的「廣東汕頭沙茶牛肉爐」。潮汕人在十九世紀到南洋地區工作，嚐到當地「沙嗲」的味道，並把這個口味帶回家鄉，經過改良後製作成「沙茶」。當他們移民來到臺灣後，也把沙茶帶到臺灣。不少潮汕人更開始在臺灣從事與沙茶相關的餐飲工作，像是開設沙茶醬工廠、炒沙茶飯麵或開設沙茶牛肉爐餐館等。演變到最後，沙茶醬漸漸成為臺灣人吃火鍋的必備蘸醬，而沙茶牛肉爐更是各地皆有，例如高雄的可香、味味香，或是臺南的小豪洲沙茶爐、臺北的元香沙茶牛肉爐等。這些店家招牌，都不約而同掛上「廣東汕頭沙茶牛肉爐」，象徵對家鄉飲食的認同，而沙茶牛肉爐的廣受歡迎，也顯現了臺灣社會對牛肉料理的接受度慢慢增加。

食譜聖經帶動外省菜傳播

不過，說到外省菜的傳播，食譜的普及更是大功臣。其實早在日本政府治理時期就有一些類食譜的紀錄，像是《江山樓案內》或是《臺灣料理之栞》等，

不過當時多以閩粵菜系為主。到了戰後，眾多烹飪名師，如黃媛珊、馬均權等人，紛紛撰寫並出版《媛珊食譜》、《今日菜單大食譜》、《實用食譜》等膾炙人口的書籍。其中最著名的烹飪名師非傅培梅莫屬，她是臺灣第一個在電視節目中教授烹飪的人，也出版了多本中菜食譜，並多次至國外宣揚中菜，甚至到日本電視臺主持料理節目呢！

　　數十年的時間過去了，眾多源自中國大江南北的外省菜，早已融入了臺灣的文化和口味，發展為自成一格的美味菜色。很多外省族群在中國走了一遭後，常會發現還是在臺灣的外省菜比較合自己口味。更有趣的是，近年來許多業者紛紛開發許多外省口味拌麵，也讓平民口味的外省菜又翻了新的一頁，未來還會變化出什麼融合傳統與創新的好滋味呢，且讓我們拭目以待吧！

大事紀

1945～1950 年	中國各地近一百多萬軍民遷入臺灣。
1950 年代	臺灣各地陸續成立眷村，成為外省人主要居住地，並陸續在臺成立同鄉會。
1958 年	「好來一食品廠」成立（後改名為好帝一食品廠），生產「牛頭牌沙茶醬」，創辦人劉來欽有「臺灣沙茶醬之父」之稱。
1962 年	傅培梅首次在臺灣電視公司擔任烹飪主持人。
1970 年代	鼎泰豐開始兼賣小籠包，從此發跡。
2005 年	開辦臺北國際牛肉麵節，邀請店家與國際美食家參與。

影響臺灣關鍵物件

衣物篇

明帝國時期穿著，男生穿著長袍或是棉衫。

女性則穿大襟女衫。清帝國時期男性留辮子髮、穿著長袍、馬甲，

洋服、行燈袴、大襟衫混搭風格。日治時代初期穿著特色有木屐、

日治時代中期，開始出現西裝和洋裝穿著。

各種琳瑯滿目流行時尚成衣。現代有棉衣、牛仔褲、洋裝

第五章

原住民族是穿搭大師

　　根據考古學家研究，大約在三十多萬年前，原始人就開始會穿上「衣服」，他們運用大自然的資源或透過獵捕，將動物的毛皮製成衣飾。隨著時間演進，每個國家或是民族都發展出獨具特色的服裝和飾品，像是和服、蘇格蘭裙、漢服、唐裝等，都各自代表不同的文化。而在臺灣的原住民在那個資源相對短缺，技術也不夠精良的早期社會，為什麼能發展出那麼多精細、別緻又美麗的傳統服飾呢？

在原住民族祭典時，常常可以看到他們身穿傳統服飾。找一找，這是哪一個族群的服裝呢？

早期的原住民服飾

　　臺灣的原住民族群相當多元，各族的衣飾文化都十分豐富，從色彩、線條和圖案都有不同的風格，不但從頭到腳都會製作合適的衣物配搭，有些民族還會因應各式場合穿著與身分合宜的服飾，舉凡婚禮、喪禮和祭典，原住民族群都會穿上不同的衣服，十分講究穿著禮數。

　　不過，原住民的服裝樣式也經過長時間的演進而來的。雖然以前沒有照相機可以記錄下原住民的生活與服裝，但我們卻可以透過一些文獻記載，窺見以前的原住民穿著樣貌。

　　例如在西班牙人所記錄的《馬尼拉手稿》中，就描述著雞籠與淡水地區的原住民身穿草裙，身上有一些黃金製作的飾品。而與平埔原住民有更多衝突或生意往來的荷蘭人，也曾描繪下半身圍著一塊布疋或獸皮的原住民正在追逐野鹿的場景。到了清帝國治理時期，原住民族群被區隔為「生番」和「熟番」，當時乾隆皇帝下令請各地的巡撫或是官員，運用文字和圖像將治理區域人民的樣貌、衣裝，以及相關的風俗民情和物產等記錄下來。其中就記載了臺灣（今日臺南）、鳳山、諸羅（今日嘉義）、彰化、淡水等地的「熟番」、「熟化生番」和「生番」的圖像，還特別註明他們會「績樹為布」，意思是當時的原住民會以樹皮製作成衣服。

■ 《皇清職貢圖》中繪製了臺灣幾個區域的番人圖，每一個地區都繪製當時原住民男性與女性樣貌。

或許當時的繪圖者會加入自己詮釋的觀點，但我們仍然可以從在這些圖像中，找到一些原住民族衣飾的文化痕跡，也能觀察到當時的原住民族有些穿著布料服飾，或是以動物毛皮製成衣物，但仍有不少人還維持裸身的習慣。從這些紀錄中，也能發現當時的原住民族似乎少有穿鞋的習慣，還普遍都會配戴耳環、首飾或是頭飾，也有在身體上紋身的習俗，展現與漢人移民截然不同的服飾文化。

天然的材料最好！

　　日治時期以後，許多知名的人類學者，像是一生皆致力於研究臺灣原住民的伊能嘉矩等人，開始深入臺灣的山野進行詳細的田野調查，並記錄當時原住民的生活樣貌，還依據他們的居住地區、風俗進行分類，也讓人們對於臺灣東部和高山上的原住民開始有系統化的認識，對於他們衣飾文化或習俗也有比較清楚的資訊。

　　許多原住民的衣服主要以麻、樹皮和獸皮為原料。其中泰雅族的紡織技術十分出色，女性在十五歲時就要學習織布，材料的來源是苧麻。紡織的工序十分複雜，還會以礦物作為染料，呈現出豐富的色彩。在泰雅族的紋面習俗中，更規定擅長織布的女子，才有資格紋面呢。

　　由於原住民經常狩獵，所以也常將動物的毛皮作為衣服原料。像是鄒族男子的衣服，就有不少是以

學會織布，才能為家族帶來榮譽，我要再加把勁才行！

獸皮製成，主要選用鹿皮製作，所以也發展出高超的鞣皮技術。另外一種原料來源則是樹皮，在排灣族、阿美族、魯凱族和鄒族的傳統服飾中，都會使用樹皮來做衣物或生活用品。尤其是阿美族早在兩百多年前，就會使用樹皮製成帽子、頭巾、裙子等。製作時，得先從構樹上取皮，再經過敲打，將其中的纖維取出，接著透過洗布和晒乾等的步驟才能完成，工序十分繁複。

構樹打成樹皮，可以做帽子、衣服、包包，雖然費力，但很美呢！

　　不少族群還擅長使用兩種以上的原料製作衣服，像布農族會同時以獸皮和麻布為原料——獸皮以鹿皮、羌皮和山羊皮為主；織布的原料則是苧麻。男性與女性更有明顯的分工，男生負責製作織布機、織布交由女性，而採麻工作則由男女合力完成。

 ## 有故事的原住民服飾

　　原住民的服飾最有趣也最耐人尋味的地方是——雖然他們都使用類似的材料和製作方式，但呈現的顏色、圖案及樣式卻十分不同。

　　一個人經常穿著的衣服顏色、樣式與風格，通常也反映了自己的性格與喜好，各族原住民的用色和圖案也代表著不一樣的意涵，更多是為了展現他們的社會階級或是身分，有些還會代表穿著者的豐功偉業。由於在傳統習俗中，貴族無須加入生產的工作，更能專心投入雕刻或紡織創作，所以在貴族的衣物上常會出現更多複雜的紋飾。例如排灣族飾有紋飾的服飾以貴族穿著為主，通常會以

刺繡和綴珠展現人頭、人像、太陽或是百步蛇紋等各種華麗的花紋，再加上雄鷹羽毛頭飾或是高貴的琉璃珠。而卑南族的服飾使用豐富的紅、黃、綠夾雜黑色和白色，上面還有十字繡花，他們的服裝除了代表階級和身分，不同的年齡也有區隔，從幼年、少年、青年、成年到老年的服裝都不一樣，每往下一個年齡階段，就需要跟著更換。

　　此外，裝飾品對於原住民的衣飾文化也很重要，魯凱族最重要的裝飾品就是琉璃珠，可以展現身分和地位，更是貴族世襲的寶物。不同的琉璃珠圖樣，背後都有相關的神話傳說，也有不同的涵義。阿美族則會用帽子來表示社會地位，華麗的帽子只有貴族才能使用，一般人不能配戴。另外，也有很多族群都會穿耳洞，戴上飾品，耳飾則會以木頭、玉、竹、貝、骨等不同材質製成，有些族群甚至還會特別把耳孔拉大喔！

哇！他身上的頭飾和刀具看起來好威風啊！

沒錯！他頭上的那些牙齒裝飾可是他的榮耀哩。

　　在鄒族社會中，臂飾則是曾經獵獲山豬的勇士才能配戴的榮譽。特別的是，他們的臂飾是以銅絲串接山豬獠牙，再加上布片捲繞製作而成。如果勇士又獵獲新的山豬，就可以再加一環。而魯凱族男性則要補獲六頭以上的公山豬，經過儀式認證後才可以配戴百合花呢！

傳統原住民族群的衣服原料來自大自然或就地取材，也有些是與其他的族群交換而來，還會使用礦物或植物製成的天然染料來為服飾增添色彩，那種獨特的色澤是今日的化學染料所無法仿造的。從服裝、飾品和穿戴文化，在在都展現了原住民族群的生活方式與多元文化的內涵。時至今日，許多知名的服裝設計師都時常會從傳統原住民服飾的圖騰、紋彩和花樣去尋找創作靈感，說起來，原住民族可真是臺灣最具生活和文化美感的穿搭大師呢！

大事紀

1590 年代	西班牙文獻「馬尼拉手稿」中，記錄著兩幅臺灣原住民圖像，是臺灣史最早的文獻之一。
1602 年代	陳第《東番記》中曾記錄臺灣西部原住民服裝。
1717 年	《諸羅縣志》卷首有十幅黑白版刻「番俗圖」，記錄乘屋、插秧、穫稻等風俗。
1722 年	第一位巡臺御史黃叔璥來臺，命人繪製《番社圖》、《臺陽花果圖》。
1751 年	清帝國皇帝乾隆請人繪製《皇清職貢圖》，記錄了臺灣部分區域原住民的樣貌與生活習性。

第六章

不斷進化中的臺灣服裝演進史

俗話說：「佛要金裝、人要衣裝」，一個人所穿的服裝常透露出自己的喜好和個性，從不同時期的流行服飾風格，也能窺見時代的影子，以及各種文化價值和審美觀。

如果現在能搭乘時光機，回到兩百年前的臺灣，你會發現臺灣的服裝歷史，一路走來經過了非常有趣的變化——曾經盛行過裹小腳，認為變形的小腳走起路來搖曳生姿才是美；也曾經喜好過寬鬆棉麻製的衣服；或是認為穿著和服、木屐才是優雅……現在就走入時光隧道，一探超混搭的臺灣服裝演進史吧！

旗袍曾在臺灣盛行一時，直到現在還是有人會將改良式的旗袍作為出席重要場合選擇之一。

那個纏小腳、綁辮子很美的時代

想像一下,如果你在清帝國統治時期的臺灣生活,下週三要去參加一個重要的比賽,你要準備哪一種衣服去參加比賽、又得去哪裡買衣服呢?

留著一頭辮子髮的你,得先去布行選布,再請裁縫師傅到家裡幫忙量尺寸、準備訂製屬於你自己的衣服和褲子。有了尺寸與布料後,裁縫師傅便回家趕工。隔了幾天後,裁縫師傅會帶著衣服來到你家,幫你確認尺寸是否合身,或是還要再修改……哇!整個流程超級費工,是不是跟你現在隨時隨地就能選購一件「已經做好的衣服」很不一樣呢?

清帝國治理臺灣的時間超過兩百年,臺灣島上漢人移民的服裝風格,也深受中國影響。從文獻記載中可以發現:當時臺灣的衣著與中國相同 —— 男性會剃髮留辮子;較富裕家庭出身的女性,同樣崇尚纏足,也把纏足之後腳的形狀與走路姿勢視為美的象徵。不過,由於臺灣的氣候炎熱,在服裝布料的選擇上,與中國略有差異,清涼透風的棉麻材質十分受歡迎。除此之外,在清帝國開放通商口岸之後,外國商人也開始來臺開設洋行,帶來不少西洋來的昂貴布料,並在許多富裕的大戶人家中蔚為流行。

我的小腳好酸痛啊!
有時候真羨慕那些大腳女孩,
可以隨心所欲活動呢!

西化與皇民化運動促使穿著改變

　　1895 年，中日簽訂馬關條約，把臺灣割讓給日本。日本政府來到臺灣後，一開始採取漸進改變的政策，一方面尊重島上人民的衣著習慣，另一方面則透過獎勵措施，希望能漸進式的引導臺灣人改變。但後來卻轉變治理方式，改以較強硬的公權力介入，強迫男性剪掉辮子，女性則不許纏足，甚至祭出纏足要罰錢的規定。

　　臺灣人的穿著打扮也漸漸受到日本人的影響，不少人開始穿起和服和木屐。由於明治維新之後日本就漸漸走向西化，在服裝上也受到西方影響，有些臺灣男性也開始跟日本人一樣穿起西服，女性則穿起西式皮鞋，整個社會服裝呈現著多元混搭的狀態。

　　到了日治時代中、晚期受到「新文化運動」和「皇民化運動」影響，臺灣島上的穿衣風格改變更大。1920 年代臺灣受到中國「五四運動」的影響，因而開啟了「新文化運動」。新文化運動鼓吹自由民主的思想，主張男性和女性都應具備受教權，並向日本政府請願，讓臺灣設置議會。

新文化運動也極力鼓吹西式穿著，當時〈臺灣民報〉甚至曾有報導提到：「我們生活在新時代的人，自有我們應穿的新衣服。」這裡說的「新衣服」指的就是西化服飾，像是全套西裝、紳士帽、皮鞋等。西服當時被視為進步的象徵，傳統文化則被視為落後，所以在穿戴上都要朝向西方看齊。此舉也成為當時臺灣知識菁英崇尚西化的最強說帖。

不過到了 1930 年代，隨著戰情日益升溫，日本人為了「同化」臺灣人，讓臺灣人成為真正的日本人，要求臺灣人改變服裝，並獎勵穿和服，他們要求臺灣男性穿著政府規定的「國民服」，後來也規定婦人要穿著「標準服」，還會選出表現優良的樣板家庭作為模範。在政治介入的強力影響之下，這段時間迫於無奈而穿上和服的臺灣家庭也增加了。

 ## 從戰前到戰後，流行再度轉彎

不過，到了日治時代後期，許多臺灣人已逐漸建立自我認同的意識，並試圖透過服裝表達自己的立場，所以會開始在日常生活穿著「臺灣衫」，在較為正式或有需要的場合才會穿著洋服或和服。「臺灣衫」的樣式主要來自中國華南沿海地區，分為上、下兩部分，上半部為「衫」，下半為「褲」，非常透氣，也很適合日常活動。

此外，民國初年的五四運動，讓許多中國女性開始有了自主的意識，逐漸對自己的身體展現有不同想法，過去以舒適、生活便利為主的穿著，漸漸演變成重視自己的身體曲線，傳統寬鬆的旗袍也逐漸轉變成較為貼身的樣式。這股風潮後來也傳來臺灣，當時已有不少女性開始接受教育、並參與體育和戶外活動，中式旗袍便搖身一變，成了具有「臺味」的「長衫」。雖然臺式長衫的做工、剪裁和材質都與旗袍有些不同，但都能展現身體的線條，也能表示自己對於中

華文化的認同。

　　然而，由於二次世界大戰後，國民政府代表接收臺灣，爆發許多舞弊貪汙的情事，並發生「二二八事件」，部分臺灣人對於中國的認同開始幻滅，也使得從中國流傳過來的旗袍風潮開始退燒。直到 1949 年國民黨政府退守臺灣之後，旗袍又成為上層階級外省婦女的流行服飾。其中最著名的代表人物就是蔣介石的夫人蔣宋美齡，她每次出席正式場合幾乎都身穿旗袍，旗袍也因此成為當時官夫人間的最佳時尚呢！

　　戰後的戒嚴時期，曾經也對民眾服裝有嚴格的管理規範，例如警察會取締服裝不整、留長髮的男生或穿迷你裙的女生，甚至還規定電視節目的演員不能穿著奇裝異服、不能珠光寶氣、不能袒胸露背，也不能蓬頭垢面，以免對大眾帶來不良影響呢！

大稻埕與衡陽路的布料行興衰

　　除了流行樣式的改變，傳統布料行的興衰，更成為臺灣的製衣型態由「手製」轉為「大量生產」的最佳見證。早期臺灣人的衣服多由家庭自己縫紉製作，或是買布請裁縫到府測量、製作。想做新衣服，就得先去挑選布料，因此布業和服飾的流行息息相關。

　　現在臺北最有名的年貨大街「大稻埕」，早期以茶業聞名。1908 年，日本人於大稻埕碼頭附近設置了「公設永樂町食料品小賣市場」，附近聚集了上百家布料的批發店，後來逐漸形成商圈，就是我們現在所熟知的「永樂市場」。

　　除了永樂市場外，在臺北市博愛路和衡陽路一帶則有戰後從上海搬遷而來的布行，除了販售布匹外，也有衣服訂製服務。由於當時政府高官夫人大多穿著旗袍，必須裁布訂製，就會找上這些布行，從 1950 年代到 1970 年代，衡陽路

和武昌街附近的布行曾超過二十家，盛極一時。

　　而南部最大的布業市場則在臺南的西市場，俗稱「大菜市」，它從日治時代就是南臺灣最大的市場之一，後來改名為「西門市場」。這裡也是服飾材料行、工作室及設計中心的聚集地。

　　只是隨著時代的改變，西方的流行文化隨著廣播、電影和電視傳入臺灣，開啟了全西化的風尚，大規模的紡織業和成衣工廠相繼出現，提供大量複製的流行穿著，不但數量繁多，選擇更多，而且還可以隨買隨穿、無須等待。敵不過成衣消費浪潮的傳統布行與手工訂製服，因而也逐漸式微，只留下零星高級訂製服裝店還留存著。

　　從傳統到現代，從客製化到便利的快時尚，臺灣人的衣著樣態，跟著歷史流動與世界的流行浪潮，至今還在不斷的進化中。

1908 年	公設永樂町食料品小賣市場（今日永樂市場）成立，當時日本商人把這裡當作布料進口的批發中心。
1911 年	在臺灣纏足要罰錢。
1911 年	民間成立剪辮會。
1915 年	斷髮放足的最後期限。
1937 年	皇民化政策，要求臺灣人跟日本人的穿著相同。
1948 年	上海紡織業大舉移入臺灣。
1961 年	實踐家專服裝設計科成立。
1970 年	輔仁大學織品服裝學系成立。
2009 ～ 2013 年	前美國第一夫人密雪兒歐巴馬曾兩度穿上國際知名的臺裔設計師吳季剛所設計的禮服，出席美國總統就職典禮。

§ 第七章 §
那些年，我們穿制服的日子

　　身為學生的你，一定對「制服」不陌生，從幼兒園、小學到國高中，幾乎每換一所學校，身上穿的制服就會跟著改變。各式各樣的制服，除了代表不同的學校，也是一種身分的認同。例如，一提到綠衣黑裙的制服，多數人都會很快聯想到那是俗稱「小綠綠」的臺北市立第一女子高級中學（簡稱北一女）制服。

　　不過，在數十年前的戒嚴時期，制服還帶有「監管」的意涵，而且不只是制服，連服裝儀容，甚至髮型和髮長，都會被嚴格要求，臺灣學生制服和髮禁的演進，是與民主化進程息息相關的一頁歷史。

說一說，這些制服是什麼風格，他們身上又有哪些特殊的衣飾配件呢？

穿制服是為了便於管理

　　社會上許多職業，像是醫生、護士、警察、消防隊員等專業人員都有制服，整齊劃一的衣著，可以讓大眾很容易辨識出他們的職業及身分。那學生呢？在學校裡，一眼望去很快就能看出誰是老師，誰又是學生，為什麼還要規定學生必須穿上制服呢？

　　最重要的原因是方便管理——當所有人都穿上制服時，自然而然會被抹去個人風格，較快能融入群體生活。另一方面，大家都穿著一樣的制服，比較容易產生「我們是同一個團隊」的認同感，進行校內或校外的團體活動時，會更有向心力，視覺上也能展現整齊劃一的效果。

　　至於臺灣學生究竟是什麼時候開始穿制服呢？最早得追溯到清帝國時期，當時的官辦學校及教會學校，已開始規定學生必須穿特定的服裝。不過，臺灣學生制服開始有明顯的規範，則是從日治時代開始。

　　打從十九世紀末期開始，歷經明治維新後的日本，開始大量引進西方制度，海軍、陸軍、警察等公部門單位一律走向西化管理，並穿上特定的制服。到了1920～1930年代，這套管理方式也被導入學校，從此學生也穿起制服。一開始，男生制服樣式是類似軍服的剪裁；女生制服則以和服為主，但發現不適合現代西式教育，才漸漸演變成洋裝。

　　日本人後來也把這套「制服管理」的作法帶來臺灣。不過日治初期，由於臺灣尚未建立完整的教育制度，各級學校的制服樣式也沒有統一，不同族群的孩子，通常會穿著自己習慣的服裝，到不同的學校就讀，像是日籍學生穿著和服、臺籍學生會穿著長衫、原住民學生則穿著自己的傳統服飾上學。

1919 年以後，為了加強對臺控制，臺灣總督府頒布「臺灣教育令」，全面模仿日本國內的教育制度，在臺灣建立完整的各級學校與學制，從此臺灣的學生制服也開始有了比較明確且完整的規範。在當時，舉凡小學生到大學生都會穿制服，尤其是中等學校以上的制服更有嚴格規格，男生會戴紺色（一種帶有紫色的深藍色）或黑色的角帽，衣服則是立領黑色的學生服，其他如褲子和配件都有特定的要求。

欸，你的制服怎麼是混搭風格啊？

哎呀！學校規定要穿海老茶袴啊！而且這樣也很美啊……

制服也是時尚潮流

　　穿制服雖然是一種規範，卻也是一種身分的區隔。對於日治時期的臺灣人來說，考到好學校，並且穿上這所學校的制服，更象徵著無上榮譽，尤其是男學生的衣服雖然看似大同小異，但各個學校的帽子或胸章設計會略有不同，學生們更會從這些小細節區隔彼此，像是臺北高等學校，也就是現在的臺灣師範大學，學生穿戴二白線制角帽和黑色制服，走在路上相當神氣，因為大家都會知道這是「高材生」的象徵。

臺灣制服的發展同時也反映了流行時尚的演變，像是原本只准許日本女生入學的臺北第一高等女學校（現今的北一女前身），一開始招生時並沒有制服，後來要求學生上半身穿著自家傳統的和服，下半身穿著統一的海老茶袴，腳上則以長襪配上皮鞋、木屐或草鞋。後來部分學校也開始仿效，採用改良式的和服作為制服。

　　不過，當這些學校開始大量實施西方教育的課程後發現，女學生們穿著這種改良式的和服，根本沒辦法應付現代的體育課，因而開始引進洋式制服。1921年，臺南第一高等女學校（今日的臺南女中）就決議改採洋式制服，在夏、冬季各有一套服裝，夏天穿著白色，冬季則穿著紺色摺裙，搭配長襪與皮鞋或布鞋。而現在仍然相當常見的水手服制服，則是在 1922 年由臺中高等女學校（現今的臺中女中）首先採用，後來各校陸續仿效，並成為公學校女學生的制服。後來初等學校的男生，也漸漸發展成洋式的制服，這些制服和當時民間流行的西洋服裝同步，很有設計感，簡直可說是走在時尚潮流尖端！

你們知道我身上的水手服是從哪一種職業的服裝演變來的嗎？

服裝儀容的限制

　　不過隨著日本發動大東亞戰爭，將臺灣視為日本帝國的延長領地，強力推行皇民化運動，學生制服也開始導入嚴格管制；再加上戰爭期間，資源漸漸短缺，社會氛圍轉而要求節約並減少浪費，因而從小學校到高等學校的制服，一律統一改為「國防色」（卡其色），男學生甚至還得穿上綁腿，以因應隨時可能被徵召入伍的需求，二次大戰結束後，接管臺灣的國民政府，基本上仍延續日治時期的制服政策，規定小學生到大學生都要穿制服。此外，由於當時中學以上的學校都會實行軍訓課，所以學生在制服之外，還有軍訓服的配備。而在戒嚴時期，中學男生大多會穿白上衣配卡其褲，女生則是白上衣配黑色褶裙。若有軍訓課的那一天，則不論男女都必須穿上卡其色的軍訓服。至於在鞋襪方面，則規定學生一律穿白短襪，配上白膠鞋或黑色皮鞋。

　　除了制服以外，學生的儀容和髮型都被嚴格要求。在 1955 年時，教育部曾去函臺灣省教育廳，要求女生禁止燙髮、男生禁止各種奇異髮型。到了 1969 年，則祭出更嚴苛的規定，男生要理幾近光頭的「三分頭」，女生的髮型則要求旁分，長度則只能到耳垂上面兩公分，不得超過後頸髮根。

即使到了解嚴之後，髮禁的限制也沒有馬上鬆綁，許多學校仍會定期檢查學生的頭髮，不符規定者則處分，甚至會逕行幫學生剪髮，但因此時臺灣社會已逐步邁向多元開放，眾多法界、文化界和學術界人士，均認為髮禁是一種有違人權的不當管束，各界的撻伐聲浪越來越高，終於到了 2005 年，當時的教育部長杜正勝開始明令要求各級學校必須解除髮禁，從此臺灣學生總算可以選擇自己喜好的髮型。

　　臺灣制服和髮禁的演進史，其實也是民主化進程的重要軌跡。不過話說回來，穿制服雖然帶有限制和管理的意涵，卻也讓學生不必為「今天該穿什麼」所煩惱。部分形象鮮明的學生制服，更成為許多人青春記憶中非常珍貴的一部分，不少人直到中年以後，還會特別穿著國高中時期的制服，回到母校開同學會呢！

大事紀

1906 年	臺北第一高等女學校（今日的北一女中）開始穿制服。
1907 年	臺北第一中學校（今日的建國中學）開始穿制服。
1922 年	臺北第一高女制定了洋式制服。
1955 年	開始實施髮禁。
2005 年	開放髮禁。
2016 年	高中放寬服儀規定。
2018 年	國中和國小放寬服儀規定。

影響臺灣關鍵物件

住所建築篇

史前時期建築代表：干欄屋。

荷西時期建築代表：西式城堡。

鄭氏王國時期建築代表：臺南孔廟。

清帝國時期建築代表：合院建築。

日治時期建築代表：日式宿舍。

現代建築代表：高樓大廈。

戰後建築代表：眷村建築。

眷村民宿
今天米往

第八章

不只是遮風避雨的居家住宅

　　史前時代的臺灣先民，常利用天然岩洞作為生活起居的據點，還會特別考慮這些岩洞的位置是否安全；有沒有臨近水源或食物來源。隨著工具發展，開始就近取材，利用石板、茅草、葦草或竹子等天然材料來建造房屋。荷蘭人來到臺灣後引進俗稱「紅毛土」的三合土技術、漢人移民引進合院住宅；到了日治時期，東洋和西洋建築則蔚為風尚……各個時期的臺灣住宅建築，反映了文明的演進，也具體而微的展現了時代的縮影。現在就一起來瞧瞧臺灣住宅有哪些變化吧！

金門有不少人到南洋打拼後，回到家鄉後蓋起「番仔樓」，像這個著名的陳景蘭洋樓建築，圓拱外廊道的造型是不是很典雅呢？

蓋房子，天然的最好！

　　八千多年前，臺灣島上已經有原住民活動的蹤跡，從各種考古遺跡，或是流傳的民謠神話中，可以發現他們長時間與環境互動，誕生出順應各地風土、氣候的住屋建築，建築材料皆取自大自然，也充分展現了地域特色。像是平原地帶的原住民族住屋大致上可分為兩種型態，一種會填土作為基座，另一種則是會將室內地板稍微抬高的「干欄式建築」。牆體大部分由竹子製成，屋頂則會蓋上茅草。甚至有些平地原住民的聚落，也會在房屋周圍環植刺竹，作為圍牆以防堵外人入侵。

　　高山地帶的原住民，住宅材料就更多元了。由於地形因素，高山原住民住屋大多建立在山腰處。如果地形平坦，大部分會發展為平面式建築；但若地形傾斜，則多為挖深地基的豎穴式建築，因為這種半地下化的空間，有助於保溫，能因應溫差變化，也能避免颱風的破壞。而在建築材料方面，除了一般常見的竹子、木頭與茅草外，魯凱族與排灣族的原住民，更會利用板岩、頁岩構成造型獨特的石板屋，通風良好、冬暖夏涼，更有「會呼吸的房子」別稱。

展現漢人價值的合院建築

　　到了明帝國時期，在金門、馬祖、澎湖三地已經出現漢人聚落，因此在這些島上的住宅發展歷史悠久，甚至比在臺灣本島還要早。至於臺灣本島則是到了鄭氏家族的統領時期，才有大批閩粵地區的移民來臺開墾，並逐漸出現完整的漢人聚落。

　　傳統漢人的住宅，多是「合院」型式，講求格局方正，建築會以中心軸線對稱排列，最常見的莫過於三間房屋連成的「一條龍」，從兩邊延伸出「護龍」，就像是房屋長出兩條手臂一樣，這就是我們常見的三合院。三合院如果再加上前屋圍出中庭，就是所謂的「四合院」。合院的格局會隨著家族人口增加、社會地位或經濟能力的提升，朝橫向與縱向擴建，形成多重護龍或多重院落的形式。

　　早期漢人合院會使用土角、竹材、木料、石頭等建材，後來隨著進口貿易活動日益繁盛，磚瓦的供應漸漸普及，也有不少人會從閩南進口杉木與白石作為裝飾材料。許多仕紳和官宦世家常投注更多的財力和心思在設計自宅，對於格局規模、建築用料與裝飾細節都非常講究，也很看重風水布局，除了考慮周邊的自然地形外，不少人還會在屋前挖掘魚池蓄水，取其「留住財富」的意涵。

　　值得一提的是，這種合院式的住宅，屋內常搭配著許多精細雕刻、彩繪、書法或泥塑裝飾，主題通常圍繞在祈福避邪、修身養性和傳遞家族價值，期許後代子孫在每日生活中能夠耳濡目染，培養各種良好品德。

以前的合院建築前埕好開闊，可以在這裡玩，也能用來曝晒作物，真是方便！

吹起陣陣洋風的新穎住宅

到了清帝國政府末期開港通商後，許多外國人來到臺灣，不管他們的身分是官員、商人，還是傳教士，都會很自然的把自己家鄉的建築樣式帶來臺灣，因此在領事官邸、傳教士或商人的住宅，常可看到外廊圍繞的陽臺設置等西式設計，但對臺灣一般民眾的住宅則影響有限。值得一提的是，在十九世紀末時，金門有一群因為生活不易而到南洋打拼的僑胞，其後事業有成，返回家鄉，他們在金門島上蓋起一棟棟中西合璧的「番仔樓」，反而形成了獨樹一格的住宅風格。

到了日治時代，臺灣各地興建大量官廳與官邸，融合了過去曾經出現的各種西洋建築風格，並以清水磚和洗石子構成華麗外觀，後來也成為臺灣民間設計爭相模仿的樣本。

除了西洋風格的建築外，日治時期臺灣各地也建造了不少日式住宅，結構大部分以木造為主，房間的組合數量都是隨著機能和功用而彈性調整，也會將室內地板抬高，用以通氣與防潮。有趣的是，不少合院和洋樓內也常見抬高床板或和室的規劃，可見日本文化影響深遠。

戰後，國民政府播遷來臺，也曾經大規模的進行國宅建設計畫，當時許多國宅的設計風格，都是方方正正的格狀建築，就像穿制服般讓人一眼望去就能認得！

隨著臺灣經濟的快速發展，傳統型的住宅已無法符合人口快速增加的需求，都會地區也大量蓋起現代化的新式公寓和高樓層大廈，傳統式的建築逐漸式微，僅在部分都會郊區或鄉鎮留下零星身影。如今大部分的人們都住在現代化的住宅中，設計風格也越來越多元，使用的建材更來自世界各地，種類不勝枚舉。雖然數百年來，臺灣人的住宅外觀與建築風格不斷演進，但「家」帶來的歸屬感和溫暖感卻是恆久不變的。

臺灣傳統聚落保存區

　　早在清帝國時期，澎湖就有一些漢人在島上生活，其中澎湖漁翁島（今西嶼鄉）的二崁地區逐漸發展成一個聚落，人口構成以陳氏宗族為主，是澎湖少見的單姓血緣村，見證漢人移民在島上的開拓足跡。

　　當地合院建築材料取自在地的玄武岩及珊瑚礁石灰岩（咾咕石）為主，其中由陳嶺、陳邦兄弟自 1910 年起興建的三落大厝更為精彩，建築設計與細部裝飾極為傑出，是閩洋折衷風格建築的代表案例之一。由於二崁村保留有完整的聚落風貌，在 2001 年被指定成臺灣第一個傳統聚落保存區，象徵國內的文化保存概念，已由單點擴及至面狀區域。這裡保留了澎湖的褒歌文化，也成為二崁的一大文化特色。褒歌的內容十分多元，像是生活、愛情、學習、傳說故事都是褒歌的題材，透過特殊念謠式的唱腔演唱，別有一番風味呢！

　　除此之外，位於今日澎湖縣望安鄉中社村的望安花宅聚落，也是臺灣少數完整保留的漢人聚落之一，因此在 2010 年更被登錄為全臺灣第一個「重要聚落建築群」文化資產，除了建築、信仰文化及生計活動保存外，從中更可以看見早期漢人聚落形成的軌跡，是非常值得旅人駐足品味的地方呢！

■ 望安花宅聚落多採用當地玄武岩和咾咕石建築而成。

1662 年	鄭成功在臺灣建立政權，大批閩粵移民入墾本島的西南地區。
1719 年	臺南陳世興宅創建，為臺灣現存最古老的民宅建築之一。
1838 年	鄭用錫於新竹創建進士第，為臺灣首位進士的宅邸。
1858 年	林文察於臺中霧峰創建宅邸，1864 年獲詔追封太子少保後稱宮保第，為臺灣僅存清國時期的一品官宅。
1875 年	傳教士馬偕宅邸（今馬偕紀念館）落成，為已知臺灣現存最古老的洋樓住宅。
1907 年	總督府土木局水道課長官舍（今孫立人故居）創建，為目前臺灣規模僅次於總督官邸（今臺北賓館）的和洋並置住宅。
1933 年	高橋豬之助於臺北濱町創建宅邸，為臺灣日治時期最摩登的住宅。
1943 年	日本海軍於高雄左營規劃海軍官舍，是臺灣單一軍種最大的眷村集中區域。
1955 ～ 1999 年	陸續推行國民住宅政策，但後來因與房屋市場供需無法配合，於 1999 年底停止興辦。
2011 年	政府推出「只租不賣」的社會住宅，以低於市場租金，供所得較低的年輕人或弱勢族群租用。

§ 第九章 §

屹立不搖的安全守護網——
城門與砲臺

「城門城門幾丈高，三十六丈高。騎白馬，帶把刀，城門底下走一遭。」這是許多人能琅琅上口的童謠，雖然在我們現代生活中，已經很難見到「城門」，但在過去，城門可擔負著非常重要的守護工作呢！

早期臺灣治安還動盪不安時，常會受到土匪、海盜的侵擾，還有不同族群間的分類械鬥，甚至需要面對來自外國的敵人威脅，基於安全需求，人們常在城鎮聚落的外圍建造城郭，以及重要港灣設置砲臺。你知道在自己居住的縣市中，哪裡還有防禦型建築設施的遺跡嗎？

位於臺南西區的兌悅門建於西元 1835 年，是臺南現存四座城門唯一仍可通行的。

圍城是為了保衛家園

　　在明、清帝國時期，臺灣就已開始興建「城郭」，不過這時所建造的多半是城門、城牆、砲座、護城河等防禦設施，建築形式明顯受到漢文化的影響，外觀與十七世紀荷蘭人及西班牙人在臺灣所建造的熱蘭遮城（今日安平古堡）、普羅民遮城（今日赤崁樓）、安東尼堡（今日淡水紅毛城）等西式「城堡」很不一樣。

　　臺灣最早由漢人建造的城郭，是在明帝國時期於金門島上建立的金門城，主要功能是為了抵禦海盜的侵擾。到了清帝國時期，一開始朝廷擔心臺灣島的各種叛亂難以平息，所以乾脆不築城。後來基於安全考量，地方官府還是在十八世紀初期，分別於諸羅縣（今日嘉義地區）和鳳山縣（現今高雄地區），建造簡陋的木柵城和土城。一直等到 1725 年，清帝國雍正皇帝才正式批准臺灣府（今日臺南），可以建造正式的木柵城來抵禦外敵。

　　早期的木柵城，其實是古時候建造城牆常用的建築方式，建材上運用木柵、刺竹及土牆等簡陋材料，防禦效果較差。後來隨著技術發展，城牆的設計和工法越來越講究，開始出現了外牆垣和內牆垣的設計、城牆上方還設置馬道、女牆、窺孔與槍孔等構造，更會大量運用質地堅固的在地石材來修築內外牆垣。

木柵城真的可以抵擋敵人侵襲嗎？

當時只能取得當地的材料建築，也會融合其他材料，像是刺竹或有毒的綠珊瑚，加強防禦的功能。

不過，沒有出產石材的地區，像臺南城和恆春城是利用一種由石灰、黏土和細砂所組成的三合土，一層一層夯實成形，有時候還會摻入黑糖漿或糯米糊來增加抗壓強度，或是彰化城則採用地方燒製的紅磚築城牆。

城門城門幾丈高

除了城牆設施外，城門的建築用材更是講究。由於城門是聯通內外及管制進出的入口，並具有「門面」的意涵，所以在城門上方常建有壯觀的城樓，一般城門多設置在城區的東、西、南、北四處，規模較大者則會考量便利性，在四個門的中點再增設城門，例如臺灣府城（現今臺南）一開始是簡陋的木柵城，後來改為三合土城，其後隨著城區的規模越來越大，城門也越設越多，最後甚至得設置十四座城門以方便進出，到了數百年後的今天，還能看到大東門、大南門、小西門、兌悅門等四座城門呢！

你知道為什麼鳳山舊城外有「河」嗎？

該不會也是防禦功用？

由城門、城郭所圍繞的城區則是當地最重要的精華地帶，大部分重要的政府辦公地點都在這裡。而由於各個聚落發展的時間不同，有些為了順應既有聚落的發展，有些則受到地理環境的影響，因而各城郭形狀變化豐富，比如彰化城像柚子，諸羅城像桃子，鳳山新城則像元寶。其中形狀最不規則的當屬臺南府城了！古人形容臺南城像是半個月亮慢慢沉向臺江內海，所以稱臺南是個「半月城」哩！而臺北城是「先規劃再築城」，所以城郭呈現比較方正的矩形。

守衛海岸線的砲臺建設

在陸地有城門、城牆來保衛家園，但是臺灣四面環海，狹長的海岸線又該如何防守，才能不讓敵人從海上侵犯呢？答案是：設置密集的砲臺。

包含基隆、淡水、臺南、高雄、澎湖等沿海地帶，都還留有不少清帝國時期所建設的砲臺，它們是海防重要的軍事設施。不過這樣簡單的設施頂多只能防範海上盜匪，難以抵禦船堅砲利的洋人入侵。

尤其在牡丹社事件之後，清帝國才驚覺臺灣正面臨嚴重外患的威脅，因而逐步在基隆、淡水、安平、高雄等四個重要港口，設置新式砲臺。1874 年完工的二鯤鯓砲臺（今日的臺南億載金城），就是臺灣第一座西洋砲臺。它的外觀是四角突出稜堡，與傳統砲臺樣貌大相徑庭。部分新式砲臺雖然都由西洋技師設計，但施工仍由漢人匠師建造，所以洋風中仍融入了傳統漢文化的裝飾細節，像是高雄的旗後砲臺就可以看見雙喜、長壽等圖騰，東西交會的樣貌真是有趣呢！

這些新式的砲臺形制包含營門、操練場、兵房、彈藥庫、砲座等設施，更會隨著當地地形進行不一樣的配置，主要的建築材料則是紅磚與土石，各地也會就地取材建造。其中紅磚的取得較為不易，得從中國閩南一帶進口，但二鯤鯓砲臺所用的紅磚，大部分則是直接拆卸荷蘭時代建造的熱蘭遮城回收利用！

在清法戰爭後，劉銘傳來臺，再次推動新式砲臺的興建，以增強臺灣的海防，其中又以基隆和澎湖兩地最多，基隆港設置了二沙灣砲臺、獅球嶺砲臺等；澎湖群島則有西嶼西砲臺、西嶼東砲臺等，從這些砲臺的設置地點，可以看到不同時期的臺灣海防著重地點的改變。

這些由西洋技師設計的砲臺，營門上都有當時官員的題字，像二鯤鯓砲臺的「萬流砥柱」、滬尾砲臺的「北門鎖鑰」、二沙灣砲臺的「海門天險」、哨船頭砲臺的「雄鎮北門」等，從這些題字能看到當時人們對於砲臺的期許，希望它們能成為堅守海防強大關塞，守衛最外圍的防線。數百年的時間過去了，許多砲臺遺跡至今仍屹立不搖，彷彿仍堅定守衛著臺灣島呢！

軍人和砲臺一樣，都是我們重要的國防守衛！

撼動臺灣的牡丹社事件

　　1871 年，清帝國治理臺灣期間，來自琉球王國（今日本沖繩）的船遇到颱風、發生船難，其中有一些人漂流至臺灣東南部八瑤灣。他們一開始被高士佛社原住民收留，但因為語言、文化的隔閡產生誤解，最後遭到高士佛社原住民出草殺害。

　　由於在 1872 年，日本已單方面的廢除琉球王國，將其視為自己領土的一部分，因而在 1874 年，日本就以八瑤灣事件中有琉球人和日本人遭殺害為藉口，出兵攻打臺灣南部的原住民部落，包含高士佛社和同盟的牡丹社，雙方死傷慘重，史稱「牡丹社事件」。

　　事件過後，清帝國政府開始體認到臺灣的重要性，並任命沈葆楨為欽差大臣，以巡閱為名，來臺主持海防及對各國的外交事務，並積極從事臺灣的各項建設。其中之一就是決定在臺灣南邊日軍登陸的瑯嶠地區增設恆春縣，並於縣治築城，成為臺灣最南邊的城池。恆春古城昔日的東、西、南、北四座城門與部分城牆至今仍留存，是臺灣保留最完整的城池之一。

■ 日本人所繪製的牡丹社事件實況。

1387 年　為防禦倭寇，明帝國在浯洲嶼（今金門）建「金門守禦千戶所城」（即金門城）。

1624 年　荷蘭人在大員（今南安平）興建「奧倫治城」，後改稱「熱蘭遮城」（今日安平古堡）。1628 年，西班牙人在淡水興建「聖多明哥城」。

1642 年　荷蘭人攻占「聖多明哥城」，利用原有城堡基礎重建「安東尼堡」，為今日淡水紅毛城。

1704 年　諸羅縣治（今嘉義）建木柵城，為臺灣第一座木柵城。

1722 年　鳳山縣治（今左營）建土城，為臺灣第一座土城。

1723 年　朱一貴發動抗清，陸續攻陷鳳山縣城、臺灣府城等地。

1725 年　臺灣府治建木柵城，為臺灣城池規模最大者。

1786 年　林爽文發動抗清，陸續攻陷彰化縣城、淡水廳城等地。

1885 年　清法戰爭後，清廷宣布臺灣建省，命劉銘傳兼任臺灣巡撫，陸續修築滬尾砲、西嶼西砲等。

1888 年　臺北城完工，但於日治時期拆除城牆及西門，目前僅剩四座城門，為國定古蹟。

第十章

公共建築是氣派的化身

　　提起公共建築，你會想到什麼？市政府、火車站，還是總統府？它們都屬於公共建築設施的一環。所謂的公共建築，常與處理眾人特定的事務有關，也是人類文明中重要的社會化象徵！

　　目前臺灣許多非常具有代表性的公共建築，大多是在日治時期興建，它們有些還在堅守原本的崗位，有些已轉化出新的功能，一起來認識這些各具特色的公共建築以及它們背後的意義吧！

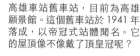

高雄車站舊車站，目前為高雄願景館。這個舊車站於 1941 年落成，以帝冠式站體聞名。它的屋頂像不像戴了頂皇冠呢？

形塑是統治威權的意象

　　由於建材使用及保存的關係，目前臺灣早期的公共建築中，保存比較多且較完整的，大部分是在日治時期所建造。日本從 1895 年馬關條約簽訂後，開始接管臺灣，由於民族性、使用的語言、文化都大不相同，加上還有「臺灣民主國」的反對勢力，因此日本在治理初期需要建立威信，以彰顯對臺灣的統治力，反映在當時的公共建築上，則是刻意強調華麗又氣派的設計。

　　1895 年，日治時期最高統治機關臺灣總督府成立，一開始是借用清帝國遺留的欽差行臺作為臨時辦公處所，後來計劃興建新廳舍。歷經兩次設計競圖，1912 年正式動工，直到 1919 年才完工。有別於清帝國時代的衙門風貌，這個新建的臺灣總督府是以鋼筋混凝土建造而成，運用許多西洋古典建築的元素，以大量的紅色面磚與白色仿石橫帶組合成的「辰野式風格」鮮明外觀，建築物中央顯眼的高塔高約六十公尺，在完工時可是臺灣最高建築；內部更設計採用了許多先進的系統，像是升降機、垃圾處理管道、熱水系統等。這棟建築時至今日已經有百年歷史，直到現在中華民國政府仍作為總統府使用呢。

第一線服務的地方官廳

　　日治時期的行政區域劃分歷經多次變動，直到 1920 年地方制度才大致底定，各個主要的城市鄉鎮設置有「州廳」、「役所」和「役場」，大約百餘處，是一般民眾更容易接觸到的公共建築。這些地方官廳部分沿用前朝遺留的衙署空間，其他則為新建的，不過可惜的是，很多至今已不復存在。有趣的是，剛開始新建地方的官廳多為三角山牆與塔樓搭配，後來則設門廊來強調正面入口的權威感。其中設計臺灣總督府的建築師森山松之助，同時也是臺北廳（今日監

察院）、臺中廳（今日臺中市政府辦公場所）、臺南廳（今日臺灣文學館）等多個地方官廳的設計者，這些氣派的官廳，多以仿磚石混構的屋身與列柱，撐起醒目的馬薩式屋頂與老虎窗，增添不少氣勢。

到了 1930 年代以後，臺灣建築大量使用鋼筋混凝土，不少新建官廳運用豐富的裝飾藝術或現代風格的建築元素，外觀帶有摩登感，與前期的廳舍樣貌大相徑庭，基隆市役所、屏東市役所等皆為代表之一。

同時期興建的新高雄州廳及澎湖廳舍（今澎湖縣政府）屋頂還鋪上日本瓦，這種帶有日本裝飾趣味的近代建築，後來發展成象徵大和民族精神的帝冠式風格，像高雄市役所（今高雄市立歷史博物館），在臺灣的地方官廳中獨樹一格。

多重任務的警消單位

在日本政府治理臺灣的歷史中，除了地方與中央的政府行政單位外，「警察制度」是最不可忽略的要角。無論是治安維護、協助行政、執行法律、服務公眾、管理人民等，業務廣泛，因此警察署或派出所常會選擇位置良好區域設置，廳舍也相對氣派。

這些廳舍有的由階狀造型山牆、幾何圖騰裝飾以及些許古典元素組成，像臺北警察署（今日「臺灣新文化運動紀念館」）與臺南警察署（目前為臺南市美術館一館）均為代表案例；有的則受到現代流線風格影響，以圓弧轉角、水平線條及航海元素為特徵，像新竹與彰化的警察署，都帶有摩登的速度感。

另外，日治時期創立臺灣的近代消防制度。初期由民間成立義勇消防組，1921 年納入官方管理機制，並在主要城鎮設立消防組，後來逐步擴張組織與設備。各地消防組都興建「詰所」（即駐所），包含消防辦公廳舍、車庫空間，還有用來眺望的「望樓」，讓消防員能立刻確認失火位置，以便迅速抵達現場救火。

1917 年落成的臺北第一消防詰所（現址為城中消防大樓）是結合「望樓」為一體的鋼筋混凝土造建築，外觀為洗石子結構，塑造堅固且顯眼的消防地標。1930 年代開始受現代主義影響，講求造型簡潔以及機能導向，新竹消防詰所和臺南合同廳舍都是符合這股時代潮流的消防機關建築。

　　比較特別的是，「合同廳舍」就是聯合辦公地點的意思。像是臺南合同廳舍結合了消防組詰所、警察會館，以及警察官吏派出所三者，原本在 1930 年只有六層樓高的中央高塔落成啟用，作為消防瞭望臺，當時稱為「御大典紀念塔」，有慶祝昭和天皇登基的意涵，後來在 1937 年擴建兩側建築物，現今仍為臺南市消防分隊辦公地點，並設置消防史料館供民眾參觀。

這個臺南合同廳舍從日治時代一直到現在都還在使用，真是屹立不搖呢！

南來北往的車站是現代化的象徵

　　除了行政單位外，與人民生活息息相關的公共建築莫過於鐵路車站了。它扮演著城市的門戶與地標象徵，更是體現人類文明發達及社會進步的象徵。清帝國治理臺灣末期，劉銘傳開始修築基隆到新竹的鐵路，當時車站稱為「火車碼頭」，包含票房、倉庫與公務房舍。臺北火車碼頭位於大稻埕，也就是最早的臺北火車站。

　　只是清帝國時期所建造的鐵路不符合後來日本政府使用目的，最後只能打掉重練。在日治時期，日本官方大力投入鐵道建設，從鄉鎮的木造小站，到城市的宏偉大站，不同樣貌的車站建築，帶來各地欣欣向榮的氣象。大城市中有像臺中車站的仿英式外觀，也有像新竹車站的仿德式外觀，且皆設置顯眼的鐘塔。在 1930 年代後，鋼筋混凝土在臺灣被大量使用，臺南車站、嘉義車站都是以鋼筋混凝土建造而成，帶有現代感。在臺南火車站更設有餐廳與旅館，提供顧客休息。然而，最特別的是日本時代末期完成的高雄車站，氣派的帝冠式建築，洋溢著復興東亞文化的企圖心。

日治時期留下了眾多風格的公共建築，時至今日仍有不少座落在市區生活圈中，雖然走過百年風華，歷經許多增、改建的過程，卻仍有不容小覷的實用功能，幾個存留下來的公共建築見證地方發展變遷，從威權的封閉走向民主的開放，也理所當然成為臺灣結合歷史和文化記憶的建築資產。

大事紀

1887 年	臺灣巡撫劉銘傳奏請修築鐵路，從基隆到新竹的區段，1893 年正式竣工通車。
1895 年	日本開始治理臺灣，成立臺灣總督府。
1913 年	新竹驛第四代站房（今新竹車站）落成，為臺灣現役最古老的站房。
1913 年	臺中廳廳舍（舊臺中市政府）落成，為臺灣最古老的州廳建築。
1919 年	日本時代臺灣最高統治機構臺灣總督府廳舍（今總統府）落成。
1931 年	臺南警察署廳舍（今臺南美術館 1 館）落成，是臺灣第一座以裝飾藝術風格設計的警察署建築。
1932 年	基隆市役所廳舍（今基隆市政府）落成，是臺灣少見非對稱立面設計的官廳建築。
1938 年	臺南合同廳舍（今臺南市消防史料館）落成。
1939 年	高雄市役所廳舍（今高雄市立歷史博物館）落成，是臺灣第一座以帝冠式風格設計的公共建築。
1941 年	新高雄驛（舊高雄車站）落成，是日本時代臺灣西部縱貫鐵道各大站中，最後建成的一座車站建築。

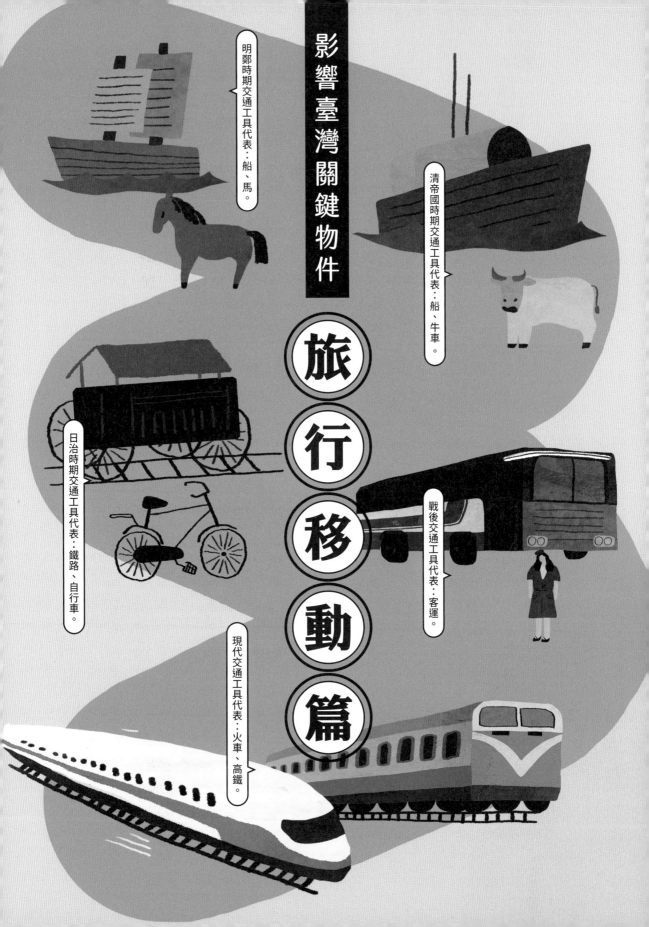

影響臺灣關鍵物件

旅行移動篇

明鄭時期交通工具代表：船、馬。

清帝國時期交通工具代表：船、牛車。

日治時期交通工具代表：鐵路、自行車。

戰後交通工具代表：客運。

現代交通工具代表：火車、高鐵。

第十一章

臺灣是個鐵道王國

　　你知道臺灣曾有「鐵道王國」的稱號嗎？臺灣現有的鐵道系統長達 1114.5 公里，共有三條主要幹線和十條支線，就像人體最重要的大動脈般環繞全臺。西部地區更有總長近 350 公里、最高時速達 300 公里的高速鐵路馳騁，在一日生活圈中聯通南北、四通八達，鐵路王國的美名實屬當之無愧。

臺灣鐵路無論是山線或海線，沿途景致各有特色，讓許多鐵道迷趨之若鶩呢！

環島鐵路網的鋪設

　　臺灣有完整的環島鐵路，無論從東岸到西岸、從大都市到小鄉鎮，都有鐵道經過，提供便捷的運輸。臺灣的鐵道系統，是在清帝國治理時期開始興建的。首任臺灣巡撫劉銘傳曾於 1887 年設立「全臺鐵路商務總局」，負責籌建臺灣的鐵路。但後來因為經費不足，最後只有興建臺北到新竹的路段。

　　1895 年，在甲午戰爭一敗塗地的清帝國，將臺灣割讓給日本。初來乍到的日本政府首先展開嚴謹的全臺大調查，從地形、物產、族群分布等詳細資訊，都在調查之列。他們發現南北狹長的臺灣，非常需要一條縱貫鐵路，讓北、中、南的資源可以整合。但是，日本政府認為清帝國遺留下來的鐵路路線和車站位置並不符合日本的治理需求，因此找了後來被譽為「臺灣鐵道之父」的知名鐵道工程師長谷川謹介來臺規劃，並負責鐵路的建設事務。

　　全長 405 公里的縱貫線，直至 1908 年才全線竣工。日本政府則選在今日的臺中公園舉辦通車典禮。這條鐵路縱貫線的通車，讓臺灣全島可以在一天之內完成南北移動，也讓貨物運送變得更加便利。但是，縱貫線鐵路通車後，日本人卻發現山線鐵路的坡度太大，所以另外又開設了從竹南到彰化的海線，以及其他往北、往南和往東的支線。往北的是淡水線，後來成為今日捷運淡水線的前身；往南則是是屏東線，一直通到屏東的枋寮；往東則通往宜蘭蘇澳，沿途可以盡覽太平洋的美景，遠眺守護宜蘭的龜山島。

通車典禮非常盛大，聽說連日本皇族和全臺各地的官員都有代表參加呢。

但是，當時東部的路況不佳，在日本治臺期間只完成了從花蓮到臺東的「花東線」鐵道。其他像是從蘇澳到花蓮「北迴線」，以及從臺東到枋寮的「南迴線」，都是在戰後才陸續由中華民國政府興建完成。直至 1991 年，臺灣全島的環島鐵路網才宣告完成。

支線鐵路變身觀光熱點

除了建設臺灣的主要幹線，日本治理時期還針對各種資源的開發，設立了不同的支線，後來也發展出客運的功能。經過了數十年，這些支線鐵路至今仍是旅人頻繁造訪的觀光景點。像是每年元宵節前後就會吸引大批遊客的平溪線，原先是漢人移民在平溪地區開墾時，用來在山區通報的路線。由於平溪地區蘊藏大量的煤礦資源，日本人為了開採並運送礦產，因而鋪設了平溪線鐵道。雖然平溪現在早就沒有開發煤礦了，但觀光客依舊會搭乘這條支線鐵路，造訪特色車站和沿途的河谷景觀、壺穴、瀑布等自然美景。

同樣為了開發礦業資源而鋪設的支線鐵道，還有從瑞芳出發的「深澳線」。這條支線原本是條淘金鐵道，曾經承載著此地礦業由盛而轉衰的深刻記憶，直至 1989 年才停止客運服務，只保留運煤支線給深澳電廠發電使用，但後來又因為電廠改建而停用。幸好 2013 年國立海洋科學博物館開幕，為了方便接駁遊客，又在深澳線新設了「海科館」站，也讓這條原已走入歷史的支線鐵道起死回生、重新復駛，成為北海岸重要的觀光路線。

除此之外，南投還有非常知名的支線——「集集線」。這條支線從彰化二水延伸出來，一直通往南投的集集，原本是為了興建日月潭水力發電廠並載運建材而興建的。但由於集集線穿越了由大片樟樹林組成的「綠色隧道」，沿途景色十分優美，觀光資源豐富，加上是唯一一條在南投縣運行的鐵路，所以一直

有開放客運使用。也因為南投縣沒有火車主幹道經過,所以過去集集線的客、貨運都十分發達。雖然後來隨著公路運輸業的興起而漸趨沒落,但直至現在仍是重要的觀光路線,每逢假日總是吸引了大批的遊客。

從平原開到山上的產業鐵道

除了環島路網和支線鐵道,日治時期也傾力投入開發產業鐵道。產業鐵道顧名思義是以運送原料、物資為主要功能的鐵道,而其中最重要的產業莫過於糖業與林業。日本人曾在臺灣種植大量的甘蔗,並興建糖業鐵道運送原料,將各個蔗農的收成載運至糖廠加工。你能想像嗎?臺灣的糖業鐵道全盛時期竟然長達三千公里,是環島鐵路總長的三倍!

這種糖業鐵道密布於臺灣中南部,使用的鐵道軌距比一般客運鐵道短,火車也比較小,所以又被稱為「五分仔車」。五分仔車的速度很慢,除了載運製糖原料外,部分也提供載客,甚至還能隨招隨停。一般民眾往來較近的地方都會搭乘糖鐵,甚至等它行駛到家門口再跳車回家,去較遠的地方才會搭乘一般火車。日治時期發揮強大功能的糖鐵,戰後仍持續運營呢!

追逐「五分仔車」緩緩行駛在嘉南平原的身影,是許多阿公阿嬤難忘的兒時回憶。

另一個產業鐵道的重點是林業鐵道。由於臺灣有數百座三千公尺以上的高山，林業資源相當豐富，日治時代為了開採並運送這些豐富的林業資源，因而架設鐵道。當時臺灣有三大林場，分別是阿里山、太平山和八仙山，其中又以阿里山的森林鐵道最有名。這條森林鐵路從嘉義一路延伸到阿里山，全長七十一公里，是與「日本大井川鐵道」、「瑞士阿爾卑斯山登山鐵道」齊名的「世界三大高山鐵道」之一。由於鐵道坡度相當大，為了讓火車能夠順利「爬山」，採用「之」字形的折返方式設計行駛路線。林業鐵道在戰後仍持續發揮重要的運送功能，在臺灣的林業開發扮演了很重要的角色。

　　不過，1989 年以後，主導臺灣森林事業的林務局，為了保護臺灣逐漸稀有的林木資源，不再伐木，轉向永續經營的方向管理。因而林業鐵道也開始轉型，如阿里山的森林鐵道已轉向觀光，成為重要的旅遊資源。

■ 森林鐵路穿梭在山野間，肩負起臺灣林業開發的重責大任。

奔向未來的高速鐵路

　　除了傳統的鐵道運輸以外，為了讓西部都會區的聯通更加省時便利，1999 年起，臺灣展開了高速鐵路的建設計畫，並在 2007 年 2 月正式展開營運。平均時速最高可達 300 公里的高鐵，讓南來北往的運輸時間大幅縮短，「一日生活圈」正式形成，臺北至高雄最快只要九十分鐘就能到達，到了今天，臺灣高鐵每日的平均載客量已高達十八萬四千人。

　　即使高鐵已成西部交通最重要的運輸方式之一，但它仍以聯通較大的城市為主，能深入鄉鎮生活與東部區域的臺灣鐵道仍具有舉足輕重的功能。它不只是一種交通工具，更乘載著許多人上學、出遊、工作的深刻記憶，也是臺灣歷史文化重要的一部分。

大事紀

1887 年　　設立鐵路總局於臺北城，開辦臺灣第一條鐵路。

1908 年　　基隆到高雄的縱貫鐵路通車。

1914 年　　阿里山鐵路主線完工。

1956 年　　臺北高雄「飛快車」的柴油車需五小時半才能走完全程。

1979 年　　鐵路縱貫線電氣化完成。

1980 年　　北迴鐵路全線通車。

1992 年　　南迴鐵路營運，環島鐵路建設完成。

2006 年　　臺灣高速鐵路全線通車。

§ 第十二章 §

從篳路藍縷到四通八達的現代化路網

　　今日臺灣的陸路交通十分便捷，有提供大量客貨需求的鐵路運輸，搭配綿密的公路網，為這個小小的島國帶來四通八達的生活。其中處處可見的公路更與一般人的生活息息相關，像是南來北往的高速公路、連接縣市間的快速道路，或是穿梭鄉間城鎮的產業道路……眾多不同功能的公路，就如同人體的大小血管般巧妙串連，是整個國家能正常運作的重要基礎建設之一。

　　臺灣的公路建設始於清帝國的統治時期，直至今日還在持續發展中，以前的道路是什麼模樣？又是怎麼演變成現代化的樣貌呢？

四通八達的公路系統連接著各個都市的繁忙交通，也帶動著各個產業的發展呢。

清帝國時期是古道開發期

　　臺灣本島的開發是從臺南開始的，可以想見臺灣的第一條街道當然也是位於臺南。早在荷西時期，荷蘭人就在安平建立第一條街道（今日的臺南延平街），後來荷蘭人向赤崁社的平埔族原住民購買土地，並詳細規劃後，在當時人口最密集的區域開闢第一條歐風市街「普羅民遮街」（今日臺南民權路）。

　　一直到了清帝國治理臺灣時，越來越多漢人移民來到臺灣開墾，也開始慢慢往臺南以外的其他區域開發，為了因應生活或商業所需，發展出了不同的道路。然而，那時並沒有現代化的柏油路和壓路機等技術協助，所以道路也很難有華美又舒適平坦的路況。不過，依據聚落發展差異，建設道路的用材也略有不同，像在比較繁華的港口貿易區或有官廳及商業地帶，道路可能會鋪設土砂，不至於太難行走。然而不管是哪一種道路，汙水橫流、牲畜往來，甚至便溺滿地的情況，都是家常便飯。

　　離開了城內，想到外地開墾或工作可就沒那麼容易通行了！臺灣西部陸路交通因有多條東西向河流攔路、路況不佳，因而早期往來不如水路便利，各地都很仰賴港口間的船運通行，但隨著西部平原的開發，陸上交通也漸顯重要。

　　到了清帝國時代中晚期，在接連發生羅發號事件、牡丹社等外國人侵擾原住民的事件後，番界的管理漸受清廷重視，因此清廷派了欽差大臣沈葆楨來臺進行開山撫番工作。沈葆楨規劃了北、中、南三條聯通臺灣東西的橫貫道路。其後發生中法戰爭，清帝國正式在臺灣設省，並派任劉銘傳為第一任臺灣巡撫，來臺督辦開山撫番事宜，同時建設了烏來至宜蘭道、嘉義至卑南道、集集至水尾道等多條山道，從此讓西部的平原和丘陵間，以及東、西部的古道交通慢慢建立起來，往來人數也日益增多。

日治時期是近代化道路開端

　　日治時期臺灣開始進行大規模的建設，在道路方面當然也有顯著的進展。1899年，在民政長官後藤新平的主導下，臺灣各大城市開始進行五年建設計畫，也就是著名的「第一次市區改正計畫」。這次的計劃以改良舊有道路並新設道路為主。例如在臺北地區，日本政府拆除了清帝國興建的臺北城牆，並整建今日臺北西門町一帶，作為日本新移民住宅。由於當時日本專家深受西方近代都市計畫的影響，因此規劃臺北的道路時，改用環狀及直線道路設計，被拆除的臺北城一帶則改建三線道路，另搭配直線道路聯結市區的對外交通，從此臺北的交通也變得井然有序、煥然一新。

1907 年，日本專家更引進專業技術，首度在臺北廳以瀝青鋪設道路，這項工法更比日本本國的運用整整早了十二年！臺北也因此一度成為道路現代化「全國第一」的城市。不過，由於鋪設道路是由地方州廳的土木部門個別研究與實驗，成果有限，加上當時臺灣各地普遍財政困窘，因此瀝青道路難以迅速普及。另一方面日本政府也考量到當時還沒有那麼多汽車通行，所以也暫無大規模鋪設「高級道路」的必要，因而道路鋪設計畫也就順勢趨緩下來。

　　不過到了 1926 年，臺灣總督府又重新調整臺灣的交通政策，打破以往「鐵路至上」的思維，決定擱置環島鐵路計畫，而將道路開發列為施政重點，開始推動道路改良事業。全臺各地的汽車數量也因為各幹道、支線道路漸漸完備而快速增加。1930 年代更是臺灣近代道路鋪設的加速拓展期，在這段期間中，除了重要行政區內的道路已大致完成，全臺的公路系統也逐漸成形。

臺北衡陽路一帶就是日治時期所規劃的，當時還有「左側通行」路牌，對行人宣導用路安全呢。

戰後臺灣公路起飛

　　二戰期間，臺灣受到盟軍猛烈轟炸，造成全島道路處處殘破，滿目瘡痍。到了戰後，能通車的路段只剩下百分之四十，在國民政府接手管理臺灣後的前幾年，都忙著修路好讓道路能恢復通車。

　　1949 年後，公路局以日治時期道路為基礎，進行道路整建規劃。由於臺灣當時有美援挹注，經費無虞，開始逐步強化全臺公路網，陸續建設環島公路、橫貫公路、內陸公路、濱海公路及聯絡公路等。或許是受美國影響，當時臺灣的交通規劃帶有美國公路色彩，在都市中的道路更朝「汽車導向」發展。

　　到了 1953 年，橫跨濁水溪的西螺大橋通車，代表臺灣西部交通的縱貫線道路終於打通，不用再繞道。為了便於管理，交通主管機關也著手將臺灣島上各公路編號，南北向採單數編號、東西向則為雙數編號，其中編號一的「臺一線」，便是起點從臺北行政院，往南延伸至屏東楓港的公路，總長度約 461 公里。因此，如果你看到公路編號，就可以從它是單號或雙號來判斷這條公路的方向呢。

　　1970 年代以後，臺灣的經濟飛快進展，交通需求量大增，政府因而將高速公路列入當時積極推展的十大建設項目之一。1978 年，全長 373.4 公里的國道一號中山高速公路全線通車，南來北往的運輸更加方便，也象徵臺灣的公路交通自此進入新的一頁。

■ 1976 年中山高速公路興建工程中，已經有各種現代化機械加入築路！

從 1978 年以降的四十多年間，臺灣又陸續完成了多條高速公路，國道編號現已編到十號，其中國道五號更成為臺灣首條橫跨東西部的高速公路，從此臺北和宜蘭間的交通時間，大幅縮減至最快四十分鐘內即可到達，交通的便捷性更讓宜蘭縣從此躍身成全國最熱門的觀光大縣之一。值得一提的是，國道五號為打通雪山山脈而闢建的雪山隧道，也因興建難度極高而聞名全球，通車時更是名列臺灣第一長、世界第九長的公路隧道。

　　到了今日，臺灣的公路建設已臻完善，雖說在上下班及連假期間，各要道常因車潮大量湧入而有嚴重塞車問題，但是，這可能是世界上多數國家常見的共通問題。幸而我們除擁有綿密的公路系統，尚有高鐵和鐵路等載運量更高的「大眾運輸系統」配搭，如能從公路自駕和大眾運輸的選擇中找到最好的平衡，就可以規劃出到達目的地的最佳路線喔！

大事紀

1896 年　開設神戶－基隆內臺航路。

1913 年　臺北市（臺北－圓山）開始通行公共汽車。

1918 年　中央山脈橫斷公路完工。

1932 年　南迴公路完工。

1978 年　中山高速公路（即中華民國國道一號）全線通車。

2004 年　福爾摩沙高速公路（即中華民國國道三號）完成全線通車。

2006 年　雪山隧道通車啟用，蔣渭水高速公路（即中華民國國道五號）全線通車。

§ 第十三章 §

臺灣是自行車王國

　　如果你在網路上的搜尋引擎輸入「Top bike brands」（自行車最佳品牌）關鍵字，你會發現，排名前十的其中兩大自行車品牌「Giant」（捷安特）和「Merida」（美利達）都來自臺灣。沒錯，臺灣是名符其實的「自行車王國」。除了優質自行車享譽國際外，更有周轉率全球第一的公共自行車租借系統，甚至還有全長約 968 公里「自行車環島一號線」呢！究竟臺灣是怎麼一步一腳印的建立起這個傲視全世界的自行車王國呢？

臺灣有許多景色優美的自行車專用道，自行車產業也是全球數一數二的！

自行車是一種高級活動

　　自行車在臺灣有很多種稱呼，有人叫它「腳踏車」，也有人稱為「單車」。這項交通工具最早出現在臺灣的紀錄是在 1903 年，當時正處於日治時期，在它尚未普及化之前，臺灣主要交通工具是牛車、馬車、人力車、或是轎子。

　　在日治時期，自行車被稱為「自転車」（じてんしゃ），閩南語則叫它「孔明車」，後來才取其以自我腳踏行駛之意而稱為「自行車」。一開始，在臺灣的日本商人及官員成立「臺灣體育俱樂部」，底下設有武術部、馬術部、運動部、射術部、游泳部，更有自行車部，積極推廣西方的體育運動項目。1907 年，當時的臺灣總督兒玉源太郎更在慶祝日俄戰爭勝利的儀式中，排入自行車競賽與表演，可見當時自行車被視為運動及娛樂項目，尚未成為普遍性的交通工具。而且，早期自行車都是仰賴進口，在《臺灣地方稅規則》更明定：每輛自行車一年得繳納三元的稅款。

　　由於當時臺灣民間對自行車還不甚熟悉，為了防範交通意外，臺灣總督府更在 1916 年頒布《自轉車取締規則》，規範自行車必須要裝設警鳴器才能在馬路上行駛；夜間行車則要在前頭掛燈具；如果在狹窄或是繁忙街道時，必須使用警鳴器並慢行，警示往來的人群。駕駛一旦違反規則，警察可將其拘留或是處以罰金。

　　到了 1920 ～ 1930 年代，自行車在臺灣才比較普及，成為當時最主要的代步工具，幾乎家家戶戶都有一輛。除了個人使用外，自行車更是部分民眾工作時的必備工具，像警察巡邏、郵差送信，還有雜貨店送貨等，都會運用自行車。

■ 早期自行車大多從國外進口，造型看似陽春，
　但是售價昂貴，可不是人人都買得起的呢！

自行車界的賓士——富士霸王車

不過在日治時期，這些從外國進口的「自行車舶來品」可是價值不斐，不同牌子的自行車，售價差距也很大，如果家裡有一輛高價自行車，更象徵著這戶人家具有高社經地位。尤其擁有從日本進口來的「富士霸王車」或是「Rudge自行車」，更可媲美現在的賓士汽車，因為當時一般公務員月薪約十五元，一分農地（約 290 坪）售價約一百元，但一輛富士霸王車就要價三十元，Rudge自行車甚至售價高達一百四十元，一般人可能要存好幾個月，甚至要分期付款才買得起。

不過，深入一般民眾日常生活中的自行車，在此時也開始出現有不少變形。像是女性使用的自行車稱為「文車」，相對應的「武車」則是男性使用。但是隨著時間演進，後來「文車」的意思轉變為代步用的自行車，「武車」則指稱載貨或是其他經營用途的自行車。到日治末期，更引進改良式的三輪車，形式就是在自行車輪後輪旁邊再加上一輪，成為運送貨物及載客的主要交通工具，從此自行車也大幅擴大應用範圍。

戰後成為打造自行車王國契機

儘管日治時代自行車在當時成為了人們生活中不可或缺的交通工具，但是當時臺灣並沒有相關的製造產業，一直到 1930 年代，日本政府才開始在臺灣扶持部分工業的發展，少數機械廠才開始製作自行車零件。

到了二次世界大戰戰後，國民政府代表同盟國接收臺灣，臺灣與日本間的進出口貿易也暫時中斷，加上隨之而來的國共內戰，導致臺灣島上的經濟和部分資源被移至內戰所需，自行車開始供不應求，缺貨狀況直到 1949 年中華民國

政府正式遷臺後才慢慢改善。

1950 年代以降，臺灣每年接受美國政府約一億美元的美援貸款，政府也大力推行進口替代與節省外匯的政策，臺灣開始出現了自行車組裝產業，自行車的供應開始由進口走向自製，售價大幅下降，從此更為普及。原先在日治時期可能只有出門工作的人才得以使用，但到了戰後，一個家庭可能同時擁有兩、三輛自行車，作為孩子上學與母親家務採買的代步工具。因應自行車的數量大增，政府後來更訂定了自行車騎坐規例，基本上和日治時代的《自轉車取締規則》一樣，將自行車的行駛規則納入法律規範，每輛自行車每年也得繳納 18 元的牌照稅，這項規定直至 1970 年機車興起後才終止。

臺灣開始發展自行車產業後，除了供應臺灣本地市場的需求外，透過美援與美國企業的連結，漸漸有了來自美國企業的代工訂單，因而開始生產給孩童的迷你自行車、特殊功能的登山車和變速車等。在 1970 年代，受到能源危機的影響，美國市場對於自行車的需求大增，臺灣的自行車產業也因此更為興盛。

雖然 1980 年代開始，受到東南亞低廉人力成本的競爭影響，臺灣自行車產業大受衝擊，卻從此轉向打造品牌、研發高單價、功能更強大的車款發展，「MIT」自行車也逐漸在全世界站穩一席之地。其中最具代表性的首推巨大機械旗下的的品牌捷安特（Giant），另外像是美利達（Merida）、功學社（KHS）等品牌出產的自行車，都非常專精在功能、結構和用料的開發，陸續成為全球其他國外品牌仿效的對象，每年外銷產量近千萬臺。

不只如此，這些自行車大廠更組成自行車車隊，或是與知名自行車選手合作，不斷的測試，開始在世界各個大型自行車賽事中嶄露頭角，像是 2012 年的倫敦奧運自行車公路賽金牌得主，就是選用捷安特的自行車。這些自行車廠商也與政府部門合作，開發「公共自行車租賃系統」，最知名者首推由捷安特投入的「YouBike 微笑單車系統」，目前已於臺北市、新北市、桃園市、新竹市、苗栗縣、臺中市、彰化縣等多個縣市提供便捷的服務。

　　臺灣地小人稠，是非常適合綠能交通自行車產業發展的國度，回顧這數十年來發展的歷史，已經清楚的證明了這一點。

大事紀

1903 年	自行車引進臺灣。
1942 年	日本人引進改良的三輪車。
1947 年	做自行車車架起家的崑藤公司成立。
1951 年	為了扶植自行車製造產業，開始管制自行車進口。
1956 年	公布自行車配售辦法，自行車一律要掛車牌、繳牌照稅。
1972 年	巨大機械成立，並於 1981 年創立「捷安特」品牌。
1973 年	取消自行車掛車牌規定。
1991 年	臺灣自行車出口值突破 US$10 億，從此在全球占舉足輕重地位。
2012 年	倫敦奧運自行車公路賽金牌得主選用捷安特的自行車參賽。

影響臺灣關鍵物件

教育篇

荷西時期：
傳教士會教導聖經。

明鄭時期：
引入儒學教育。
設立孔廟、明倫堂，

清帝國時期：
書院教育為主。

日治時期：
設立最高學府：臺北帝國大學。
以日文教學為主，

戰後：
以國語教育為主，
學風與教學隨時間漸漸自由。

§第十四章§
讓所有人都能上學的義務教育

「為什麼我得去上學?」這大概是許多人學生時期曾有的疑問。事實上,國民教育力是國力的展現,多數國家都認為所有孩子都有接受教育的義務與權利,沒有階級或是出身的限制。因而政府有義務運用各種資源,保障所有適齡學童接受義務教育。年限方面則各國規定不太一樣。臺灣目前是十二年,日本九年、法國十年。

不過,臺灣究竟是怎麼發展出現行這套學校與義務教育的體制呢?

臺灣目前有 2600 多所國小,除了政府設立的國小外,也有不少私人設立的小學喔!

以前上學只讀「國語」？

　　臺灣開始有官方設立的「學校」，是在鄭氏家族治理期間。他們先在臺南設立孔廟，並成立儒學學堂，還制訂了科舉制度。不過，直到清帝國治理時期，臺灣的教育仍不普及，官方只設立了可以傳遞儒家文化的書院，同時也作為科舉考試的學習途徑。

　　清帝國時期的臺灣人多是來自中國的移民，生活重心圍繞在開墾、農業、漁業等勞力密集的工作，大部分的父母寧願孩子協助農務，也不想多花錢送他們去讀書，加上在乾隆以前，書院並不普及且幾乎都設立在臺南，因而早期的臺灣人並不重視科舉考試，直到 1823 年，臺灣才出現了第一位進士 —— 新竹人鄭用錫。

　　十九世紀中葉後，由於臺灣的生活日趨穩定，開始有更多優秀的學子投入科舉。不過，當時想參加科舉、取得官職並不容易。只有經濟能力不錯的家庭，才會將家中男孩送到書院或私塾讀書，這些由讀書人自己開設的學校沒有統一的課本，通常只會熟背科舉考試必考的「四書五經」，期待之後能通過科舉的層層考試，以謀得一官半職。至於女孩，則幾乎沒有機會讀書識字，只有極少數有錢人家才願意特別培育女兒識字。

　　1895 年日本入主臺灣後，臺灣的教育體制有了很大的改變。當時日本有個倡導國民義務教育的教育家伊澤修二，曾短暫來臺為臺灣總督府規劃教育制度，並在臺灣設置第一所專門教導臺灣人日語的學校 —— 「國語傳習所」。這所學校位於臺北士林的芝山，也就是今日的士林國小前身。在傳習所讀書完全免費，學生可以學習國語（當時是日語）、數學、理科等科目，除了日文外，還能接受來自西方的科學知識。不過一開始，臺灣人因為心理上未完全接受日本新政府，對於如此「好康」的免費教育依舊興趣缺缺，只有部分父母認為接受日本教育才能有好的發展，願意將孩子送到日本人設立的學校。

從國語傳習所變成公學校

　　1898 年，臺灣總督府施行〈臺灣公學校令〉，規定八～十四歲的孩童可以就讀公學校，這是臺灣小學新式教育的基礎。總督府將早期的國語傳習所全換成公學校，提供給臺灣人就讀。雖然總督府也希望在全臺廣設公學校，但因為領臺之初經費不足，為了減輕財政負擔，因而請各地的行政單位自己想辦法出錢，於是只有較有錢的地方才能有學校。不少希望自己孩子能接受新式教育的仕紳，就會一起集資或贈與土地來蓋學校。

不過，可別以為身為殖民者的政府蓋學校是為了提升臺灣人的學養能力，在〈臺灣公學校令〉中就清楚規定在臺辦學的主要目的——「臺灣人之子弟施行德教，教授實科，陶冶日本國民之性格，並以精通日語為主旨。」意思就是希望能讓臺灣人變得更像日本人，並學習一些基本技術，成為日本人的輔助，幫助他們統治臺灣。因此，公學校教授的科目內容，比專門給日本人讀的「小學校」簡單，而政府也不會積極提供臺灣人能夠持續學習更多知識的中高等教育。

　　第一次世界大戰結束後，全世界掀起「民族自決」的風潮，鼓勵每個民族有權管理自己的事務，許多臺灣知識分子便開始鼓吹臺灣自治，其中林獻堂等人更是積極向日本請願，希望臺灣人能有自己的議會和學校教育。但日本政府擔憂臺灣人因此獨立，不願意給予臺灣人自治權，只願意先放寬臺灣人的受教權。1922 年總督府頒布新的〈臺灣教育令〉，實施「日臺共學」，規定如果臺灣人的日文程度優異，可以就讀小學校。

　　這個新規範看似可以讓臺灣人獲得與日本人相同的教育，但是實際上臺灣人日文程度很難與以日語為母語的日本人齊步，因此實際效益不大。直到 1941年，總督府將所有公學校、小學校統統改制成「國民學校」，除了加強基礎教育中的語言訓練，並增設國民科，灌輸學生為國奉獻的觀念，臺灣人和日本人所受的教育內容才真正同步。

身為少年團的一員，就是代表大日本帝國，我們要好好表現。

這簡直就是日治時代愛國少女團體嘛！

戰後不斷變動的義務教育制度

　　日本戰敗後，國民政府為臺灣帶來教育內容的全新變革。學生從學習日文改成學習中文；從說日語改成北京話。為了解決語言隔閡，國民政府出版許多中日文對照的書籍，幫助臺灣人學習中文。不過，國民政府並沒有因為臺灣人較熟悉日文，就允許兩種語言在社會中通行。政府很快就禁止學生在學校使用日語或母語，為了改變臺灣人的身分認同、強化思想改造，更在課程中安排了公民科和三民主義課程，讓它們成為國文科外的兩個重要科目，向學生灌輸中國人的精神與文化。

　　1960 年代開始，臺灣整體的經濟情況改善，父母更能負擔孩子的求學費用，紛紛期待孩子能繼續升學，藉由學歷來改變自己的未來。這使得很多十一、十二歲的小學生，得面對龐大的升學壓力，只為考進一所明星初中。不少教師和學者都對這樣的現象提出批判，呼籲政府改善教育體制。

　　於是政府在 1968 年，正式將六年國民義務教育延長為九年，讓學生有更多學習和摸索的時間。不過，當時學校所使用的課本，全是統一由「國立編譯館」依據教育部的規定來編寫及印製，內容當然也就控制在政府手中。

　　解嚴後，教育改革的呼聲又再度出現，許多學者希望可以鬆綁這種由國家控制的課本內容，希望教育不再被當成國家塑造國民思想的工具。1996 年，民間出版社開始參與編寫國小主要科目教科書，教育內容逐步解放，不再侷限於課本知識，學生也開始有更多機會可以從課本上好好認識臺灣。自此之後，臺灣的教育朝更開放多元方向發展。2019 年開始，臺灣全面實施「十二年國民基本教育」與新課綱也同步上路，希望能幫助新世代面對未來更多元、更多變的挑戰。

讀到這裡，你應該也漸漸明瞭「為什麼大家非上學不可」了。其實人人都可以接受教育，以低廉的價格接受到高品質、完整又多樣化的教育，不僅是「國民應盡的義務」，也是憲法保障的重要國民權益，這可是非常值得慶幸的一件事呢！

大事紀

1895 年	伊澤修二來臺擔任臺灣總督府的學務部長。
1896 年	臺灣總督府開始設立國語傳習所。
1898 年	臺灣總督府頒布〈臺灣公學校令〉、〈臺灣公學校規則〉，開始設置六年制的公學校。
1904 年	臺灣總督府修改〈臺灣公學校規則〉，強調日語教學。同年設立蕃童教育所，教師由警察兼任。
1905 年	臺灣總督府針對順服的原住民，設立三年或四年制的「蕃人公學校」。
1922 年	臺灣總督田健治郎頒布第二次〈臺灣教育令〉，實施「日臺共學」。
1937 年	中日戰爭爆發，臺灣教育進入「皇民化時期」。
1941 年	所有公學校、小學校改制成「國民學校」，達成真正的「日臺共學」。
1967 年	實施「九年國民義務教育」，從國小至初中（國中）不需要通過入學考試。
2019 年	實施「十二年國民義務教育」及新課綱。

§ 第十五章 §

為臺灣人開啟教育視野的
第一所中學

提及臺灣最有名的中學，你會想到哪一所？

是建國中學、北一女中、臺中一中、臺南一中還是高雄中學？其實臺灣第一所中學是由傳教士創辦的淡水中學；而第一所由臺灣人自辦的中學，則是日治時期由林獻堂等知名仕紳集資創辦的臺中一中。在過去那個求學不易的年代，這些具備現代學制精神的中學，也大大開啟了臺灣人的視野。

淡江中學前身為淡水中學及淡水女子中學校，兩間學校是由馬偕父子所設立的。

馬偕牧師引進西式教育

　　提及臺灣西式教育的引進，最重要的關鍵人物之一，首推在臺灣近代歷史扮演重要角色的馬偕醫師。出生於 1844 年的馬偕牧師，在 1871 年來臺宣教，他同時也是熱心奉獻社會的醫師和教育家。來臺後，他向故鄉加拿大安大略省牛津郡居民募款，在淡水紅毛城北邊興建學校，這所學校有個非常中國式的名稱「理學堂大書院」，不過為了紀念家鄉的餽贈，馬偕將學校的英文名命名為 Oxford College，所以又稱為「牛津學堂」。

　　作為長老教會的信徒，馬偕辦學的主要目的是希望培養臺灣在地傳教人才。也許對現在的人而言，「當傳教士」應該不能成為上學的理由，但在難以受到教育機會的時代，牛津學堂確實是很多渴望受教育的臺灣人的福音。而且當時牛津學堂的授課內容和傳統書院大相逕庭，除了神學以外，也會教授歷史、地理和自然科等科目，甚至為了在傳教時可以順便解決當地的衛生醫療問題，還會教授解剖學、臨床醫學等專門知識。

　　或許你會有些困惑：難道清帝國的書院沒有歷史、地理和自然科學課嗎？答案是當然或多或少會教一點。但是這些科目並不是科舉考試的重點，所以大部分的書院老師都抱持著「不考就不教、也不必學」的心態，因此臺灣人確實沒什麼機會學習除了四書五經之外的科目。

　　反觀牛津學堂積極教授的知識，都是馬偕牧師曾接受的西方教育內容與宗教觀，也安排了體育活動、美術課和音樂課程。雖然牛津學堂的學生可能因為所學不同，無法參加科舉考試，卻得到許多新時代觀念和知識的洗禮。這些在現代看起來稀鬆平常的課程，在備受科舉考試限制的時代裡，更是臺灣教育史上的創舉！

從牛津學堂畢業後，我就能到臺灣各地傳教了……

真是太感謝馬偕牧師設立學校，我們才能繼續讀書啊！

馬偕牧師的教育創舉

　　除此之外，馬偕牧師還創下了另一個「第一」的記錄，那就是他在 1884 年創辦了「淡水女學堂」。在中國傳統社會中，除了極少數有錢人家的女兒外，女性普遍沒有受教育的機會。但馬偕牧師卻認為如果女性無法受教育，傳教工作就難以普及到女性身上，也很難破除與基督教教義不符的傳統「陋習」，像是納妾、殺女嬰等。因此，他開辦專收女性的免費學校，補助食宿，並鼓勵女性就讀。在招收第一屆學生時，不但學費全免，還補助交通費、提供吃住與衣著呢！

　　到了日治時期，為了呼應臺灣人的升學需求，牛津學堂在 1909 年改制為中學校，設立神學科和普通科，僅收擁有國小學歷的學生。由於不以成績為入學門檻，許多從公學校畢業，但未能考上中學的臺灣學生會轉赴該校就讀。而馬偕牧師的兒子偕叡廉更繼承父親衣缽，在美國獲得教育碩士學位後，也來臺投入教育與宣教工作，更在 1914 年創辦淡水中學，這是第一所招收臺灣學生的五年制中學，也成為日治時代讓臺灣學生得以持續接受中學教育的教會學校。

專收臺灣人的中學：臺中一中

　　由於日治時期日本政府提供臺灣人基礎教育的目的，是為了培育服從殖民政治或是能協助政府治理的臺灣人民，並不考慮臺灣人從公學校畢業後的升學規劃，甚至有些日本人更認為被統治的臺灣人最好不要學太多，以免起而反抗。另一方面臺灣人就讀的公學校，教授的內容比日本人念的小學校簡單，許多人也無法應付當時中學的入學考試，就算想再繼續升學也沒有學校可讀。

　　除了馬偕牧師的西式學校外，當時臺灣中部還有一群仕紳積極爭取，希望臺灣總督府能夠同意臺灣人設立私立中學。這群仕紳以林烈堂、林獻堂兄弟、辜顯榮等人為首，在 1913 年 9 月向總督府提出興辦私立中學的構想，不過總督府以「私人興辦中學校可能影響政府制定的教育政策」為由回絕。最後，經過多次溝通後，雙方達成共識：由臺灣人出資建校舍，再捐給總督府設立學校及管理。

　　1915 年 2 月 3 日，「臺灣公立臺中中學校」正式創立，也就是今日臺中一中的前身，學校的創校紀念碑上更記載著這段歷史：「吾臺人初無中學，有則自本校始。」意思就是臺灣人原本沒有專收臺灣人的中學，臺中中學是第一所專門招收臺灣學子的中學，從此臺灣人的升學之路也得以延長。

我們學校從日治時期就創立了……

而且還是第一所以招收臺灣人為主的中學呢！

值得一提的是，1922 年專收日本人的「臺中州立臺中第二中學校」成立後，為了區別兩所中學，較早成立的「臺灣公立臺中中學校」必須更名為「臺中州立臺中第一中學校」。這原本是一件簡單的事情，然後總督府卻希望兩所學校能比照其他地區的中學命名原則——「一中」專收日本人，「二中」專收臺灣人，想將兩所學校的名稱調換。不過，當時臺中一中校長小豆澤英男極力反對，保住了當時「臺灣人唯一的一中」。

　　有趣的是，戰後國民政府基於民族情結，將臺灣各地的一、二中名稱調換，讓原本專收臺灣人的中學校，變成排序上的「第一」，像是今日的臺南一中、二中校名互換就是很典型的例子。至於不想被換順序的臺北一中和二中，後來則各自更名為建國中學及成功中學。只有臺中一中這所由臺灣人提倡、出資興建的學校，始終如一，使用原本的名稱直到現在。

大事紀

1871 年	加拿大籍牧師馬偕抵臺，在打狗（今日高雄）登陸，不久後前往滬尾（今日淡水）傳教。
1882 年	馬偕成立「理學堂大書院」。學校的英文名字是 Oxford College，因此也被稱為「牛津學堂」。
1884 年	「淡水女學堂」成立，由馬偕擔任校長。
1885 年	英國基督長老教會成立「長老教中學」，是「長榮高級中學」的前身。
1907 年	5 月，馬偕之子偕叡廉將「淡水女學堂」改為「淡水女學校」。日治時期又兩次更名，戰後又改名「淡水女子中學校」。

1909 年	牛津學堂改制成下設神學科和普通科的六年制中學校。
1913 年	9 月，臺灣仕紳林獻堂兄弟等人向總督府提出興辦私立中學的想法。
1914 年	馬偕之子偕叡廉創辦「淡水中學」。1947 年「淡水女子中學校」與「淡水中學」合併為「淡江中學」。
1915 年	專門招收臺灣人的「臺灣公立臺中中學校」成立（即今日「臺中一中」）。
1946 年	臺北一中更名為「臺灣省立建國中學」、臺北二中 更名為「臺灣省立成功中學」；1968 年再度改制為「臺北市立建國高級中學」和「臺北市立成功高級中學」。

第十六章

為臺灣高等教育帶來劃時代改變的
臺灣大學

哪一所大學是臺灣最具代表性的大學？十之八九應該都會回答「臺灣大學」。作育無數英才的臺灣大學，前身是曾有「臺灣第一學府」美譽，並與「東京帝國大學」、「京都帝國大學」等日本知名大學齊名的「臺北帝國大學」。打從日治時期設立至今，它都是臺灣眾多莘莘學子心中夢寐以求的第一志願。

事實上在鄭氏王國治理期間，臺灣最高學府是位於臺南孔廟的明倫堂，負責講授經書，也是培養人才的最高學府，制度地位大致上是等同於中國的國子監。而清帝國治理時期的最高學府，則是各大書院，直到日治時期，臺灣才成立了第一所可以接軌近代西方學制的大學，也為臺灣高等教育帶來劃時代的改變。

1928 年所設立的臺北帝國大學，其堡壘型的校門目前仍為國立臺灣大學校門。

臺灣的第一間大學誕生

　　日治初期，日本人對臺灣的高等教育並不重視，反而較著重在培育可以輔助殖民統治的專職人才。因而他們在臺灣成立各種專門學校，像是臺灣總督府國語學校（臺北市立大學以及國立臺北教育大學前身）、總督府醫學校（今日國立臺灣大學醫學院）、臺灣總督府農林專門學校（今日國立中興大學）、臺灣總督府高等商業學校（臺灣大學管理學院前身）、臺北高等學校（今日國立臺灣師範大學）、臺南高等工業學校（今日國立成功大學前身）等。

　　這些專門學校的目的不只是為了培養專才，更重要的是，它們同時也是重要的研究機構，所產出的研究成果能服務政府，例如，1918 年設立的臺灣總督府醫學專門學校熱帶醫學專攻科，他們的研究可以運用在掠奪東南亞的資源上。總督府醫學校更是培育醫生的搖籃，一般人所熟知的第一個醫學博士杜聰明、臺灣文學之父賴和，以及臺灣民眾運動之父蔣渭水，皆是從總督府醫學校畢業的學生。

　　不過，在十九世紀末積極強化國力，企圖儘快追趕上西方國家的日本，在 1886 年就頒布了〈帝國大學令〉，希望陸續在日本境內廣設「帝國大學」，培養能「超英趕美」的知識人才與學術研究者，包括東京、京都、東北、九州、北海道等地，都設立了帝國大學。

　　不僅在日本本土，帝國大學計畫也拓展到海外的殖民地。1922 年，當時的總督田健治郎頒布新的〈臺灣教育令〉，開始計劃在臺北設立大學。總督府並著手募集「帝國大學創設準備費」，終於在 1928 年 3 月 16 日成立臺灣首座大學──「臺北帝國大學」，這是日本政府在戰前設立的第七所「帝國大學」，並在同年四月開始正式招收學生。

有趣的是，雖然當時的臺灣人求學不易，但當總督府提出設立臺北帝國大學的構想時，卻受到不少臺灣知識分子反對。因為他們認為，在有限的教育經費下，能夠先讓臺灣人接受普及的基礎教育更重要。加上日本人和臺灣人經濟條件有巨幅落差，能到帝國大學就讀的主要以日本人為主，臺灣人則少之又少，但是支持學校營運的經費卻來自廣大臺灣人所繳的稅收，因此難免受到知識分子質疑。

在日治時期，穿著立領的洋式制服、戴著有臺北帝國大學徽章的制服走路都有風吧！

帝國大學的學生樣貌

　　起初臺北帝國大學只設立兩個學部：文政學部和理農學部。所謂的「學部」類似現在的「學院」，底下還有分科。由於臺北帝國大學所設立的科系大多不熱門，再加上對真正頂尖的學生來說，歷史悠久的東京帝大或京都帝大更具吸引力，因此一開始臺北帝大的招生並不順利，除了最熱門的文政學部的政學科（相當於現在的法律系）外，大部分都必須進行第二次招生，才能招收到足額就讀的學生，甚至實際入學的學生和老師的人數幾乎不相上下。

到了 1936 年，臺灣習醫的第一志願「臺灣總督府臺北醫學專門學校」併入臺北帝國大學新成立的醫學部，才開始吸引較多學生報考。1943 年又增設工學部，並將理農學部分成理學部與農學部，由於科系選擇增加，大幅提高學生的就學意願，並逐漸形成如今綜合大學的規模。不過，除了醫學部之外，能在臺北帝國大學就讀的學生仍以日本人為主，臺灣學生相對偏少。

　　當時的臺北帝國大學學生除了學科課程外，參與學會活動也十分重要。各分科都有配合學科開設的學會，像是哲學談話會、心理學談話會、國法研究會、生物學研究會等，有點像是師生間的讀書會或研究社團，也會定期邀請不同的講者演講。或許也因為接觸這些多元的學習機會，帝國大學的學生後來有不少成為社會領袖。此外，臺北帝國大學學風自由，學生也會到西門町的喫茶店與女服務生討論進口的西洋音樂，或是到咖啡廳欣賞音樂，和同學討論電影、文學等，都是當時時髦的休閒活動，有些甚至有機會到日本畢業旅行、參觀當地工廠或機構呢！

日治時期的臺灣高校學生也流行喝咖啡、看電影、參加課外活動，這些休閒活動和現在的學生根本沒什麼兩樣嘛！

大學命名學問大

　　不過，你知道為什麼一開始臺北帝國大學是以「臺北」，而非「臺灣」命名嗎？其實在臺北帝國大學設立之前，是依據日本帝國大學習慣，用「地區名稱」來命名，一開始命名為「臺灣帝國大學」。但是日本樞密院擔心使用「臺灣」為名，會凝聚臺灣人的族群意識，因此將名稱降了一階，改用「臺北」命名。

　　戰後，臺北帝國大學如同其他日本政府遺留下來的各種財產、物資，一併被國民政府接收。為了抹除日本的意識形態，國民政府更在 1945 年 11 月將「臺北帝國大學」改名成「國立臺北大學」，不久後又改名為現在大家現在所熟悉的「國立臺灣大學」。

　　相較於戰後初期另外四所高等教育機構──臺灣省立師範學院（今國立臺灣師範大學）、臺灣省立農學院（今國立中興大學）、臺灣省立工學院（今國立成功大學）、臺灣省立屏東農業職業學校（今國立屏東科技大學），臺灣大學是當時唯一掛上「國立」層級的大學，也確立它在臺灣學術知識上的領導地位。

　　臺灣大學建校近百年來，作育了無數英才，不但為臺灣培育了各領域眾多佼佼者，更對臺灣社會帶來高度的影響力，光是從這所學校畢業的總統就有四位！可說到了今日，仍是當之無愧的「臺灣第一學府」呢！

大事紀

1899 年	6 月，「臺灣總督府醫學校」成立。
1919 年	「臺灣總督府醫學校」改為「臺灣總督府醫學專門學校」，1922 年又再改為「臺灣總督府臺北醫學專門學校」。

1922 年	臺灣總督田健治郎預計在臺灣設置大學，但直到 1925 年伊澤多喜男總督任內，臺灣總督府才正式編列籌建預算。
1928 年	3 月 16 日，「臺北帝國大學」成立，一開始只有文政學部與理農學部。
1936 年	「臺灣總督府臺北醫學專門學校」併入臺北帝國大學新成立的醫學部。
1938 年	「臺灣總督府臺北醫院」改附屬於臺北帝國大學，成為教學醫院，是現在臺大醫院的前身。
1941 年	為了與日本本地大學競爭，臺北帝國大學設立三年制的「預科」，培養將來入學的大學生。
1943 年	臺北帝國大學設立工學部，理農學部改為理學部與農學部。
1945 年	11 月，接收臺灣的國民政府將「臺北帝國大學」改名成「國立臺北大學」，不久又改為「國立臺灣大學」，設文、理、法、醫、工、農等六大學院。1947 年，將「臺灣省立法商學院」併入國立臺灣大學，是現在臺大管理學院的前身。
2015 年	臺灣大學與臺灣科技大學、台灣師範大學三校結盟，合組「國立臺灣大學聯盟」，2016 年改組為國立臺灣大學系統。

歷史故事延伸影音 ▶

公視青春發言人 - 【臺灣史！不能只有我看到 Ep.7】
那些年的教科書

第十七章

很久很久以前，
臺灣有故事書嗎？

你還記得小時候最喜歡的故事書是哪一本嗎？是《我變成一隻噴火龍了》，還是童話故事《小紅帽》、《小飛俠》或《廖添丁》、《十二生肖》等民間故事呢？現在我們很容易就可以到書店或是圖書館購買或是借閱故事書，但是在很久以前，臺灣的小朋友可不像現在一樣，可以看到各式各樣的童書，還有來自世界各國的故事書，那他們究竟都讀什麼樣的書呢？

現代的孩子可以看到不少來自國外的經典故事書，或是由本土作家創作的好聽故事，真的十分幸福呢！

在沒有故事書的時代……

　　在清帝國治臺時期，幾乎沒有留下什麼與兒童故事書相關的資料，由於當時識字的人很少，只有想要參加科舉的人，才會學習北京的官話。一般人大多使用自己的母語，只要懂得自己的名字怎麼寫，並了解與生活或工作相關的文字就可以了。有些家庭經濟情況比較好的，才會把孩子送到私塾跟老師學讀《三字經》等啟蒙書。雖然當時中國已經有一些由經典古籍改編的《西遊記》或是《水滸傳》等故事書，到了清帝國末期也有一些學者翻譯《伊索寓言》、《天方夜譚》等西方經典故事，但傳入臺灣的兒童讀物卻少之又少。

　　一直到了日本政府治理時期，才開始有了變化。受到西方影響甚深的日本，打從二十世紀初開始，就十分重視幼兒教育；加上當時他們希望能儘快全面性統治臺灣，因而對於兒童的語言教育特別重視。日本人設立了國語保育園和幼兒園、小學校和公學校，希望能透過教育，把臺灣人的下一代改造的更像日本人。為了讓當時的臺籍學童更快學會當時的國語（日文），他們也從日本引進一些適合孩子吟唱、閱讀的童謠與童話書。想當然耳，這些童話故事書，清一色都是由日籍作者所撰寫的。

　　由於日本政府大力推行國語教育，也帶動了臺灣童謠唸唱和童話表演活動。當時日本也盛行這些童話表演活動，部分日本作者甚至也曾來臺灣訪問，其中最有名的就是日本兒童文學創始人巖谷小波。他曾三次訪臺，主要表演「紙芝居」、邊說邊演的說故事給在臺灣的日本人聽，他也曾拜訪臺灣人就讀的醫學校和高中，吸引了超過三萬名的觀眾來聽他說故事，後來還在臺灣各地巡迴演講，足跡不只在臺灣西部，更遠征東部，所到之處都廣受歡迎。

這是叫「紙芝居」，是日治時代的一種兒童讀物，講者會一邊抽拉紙片，一邊說故事喔！

這個故事書怎麼長得怪怪的啊？

臺灣風味的故事和歌謠

　　雖然剛開始出現在臺灣的童話或是童謠，內容很少描寫臺灣風土民情，不過隨著來訪的日本作者越來越多，也漸漸出現了一些與臺灣有關的作品。而在臺灣的日本人更開始創作與臺灣有關的童謠，曾經在臺灣居住二十多年的兒童文學作家窗道雄更是箇中翹楚。或許你對他的名字覺得陌生，但是你一定唱過由他的詩作改編的兒歌：「大～象，大～象，你的鼻子怎麼這麼長，是不是愛說謊才會變長？不是啊，不是啊，我的鼻子本來就這樣，媽媽說鼻子長才是漂亮！」

　　窗道雄是在小學三年級才來到臺灣與家人團聚。他從臺北工業學校畢業後，到臺灣總督府道路港灣課擔任土木技師，主要工作是測量、設計橋梁和道路，在工作之餘開始創作童詩和童謠，寫作的主題很多都和臺灣的風土和文化有關。而當時臺灣的童謠非常盛行，公學校或是小學校的老師也經常鼓勵學生創作童謠投稿，《臺灣日日新報》就曾刊載過四千首學生的童詩創作呢！

不過，看到這裡，你是不是很好奇，日治時期已經有不少臺灣人開始接受教育，為什麼沒有什麼臺灣作者寫故事給兒童呢？事實上，當時確實已經有不少臺灣人開始用日文書寫屬於臺灣自己的故事。不過，作為殖民地的人民，臺灣人想要在文壇嶄露頭角是不容易的，但仍有少數人的作品甚至紅到日本去喔！其中最出名的就是「文學才女」黃鳳姿了！1928 年出生的她，在小學時期就發表了不少臺灣風俗的故事，並受到當時非常有名的作家西川滿賞識，並將她的作品集結為《七爺八爺》、《七娘媽生》；她在十五歲就讀臺北第三高等女校時，更以日文出版了《臺灣的少女》一書，裡面用少女的眼光描寫了很多臺灣的風俗習慣和民間故事，像是虎姑婆、端午節、中元節、中秋節和過年等習俗，也在書中提到自己到日本東京遊歷的情景，文字生動活潑，也為臺灣保留了不少重要的民俗文化樣貌呢。

■ 黃鳳姿以日文撰寫的艋舺的少女故事，收錄了許多臺灣民俗故事呢！

換一種國語讀故事

就在臺灣人逐漸熟悉使用日語，並開始用日語創作後，1945 年臺灣島上的人們又迎來全新的變革。

戰後，中華民國政府接收臺灣，開始積極推動臺灣人說國語，除了設立國語講習班，並在電臺成立教學節目，軟硬兼施的要求臺灣人學習不熟悉的北京話和國字。當時推動國語教學和兒童文學的重要推手就是《國語日報》。由於戰後資源匱乏，除了報紙以外，一般兒童很難有讀物可以閱讀。《國語日報》不

但提供大量的文章，還標註注音符號，讓孩子可以跟著報紙學習國字，更鼓勵兒童自己創作來投稿，直至今日，《國語日報》仍是許多學校老師會用來作為協助學生訓練閱讀的課外讀物。

　　一直到 1965 年，臺灣出現了第一套彩色印刷的的兒童讀物——《中華兒童叢書》。當時還是聯合國會員的臺灣接受聯合國兒童基金會的資助，開始策劃出版這套書，從 1965 年到 2002 年，共出版了九百多本作品，故事中有豐富的插圖，出版後更提供給全國國小學童閱讀，幾乎是每一間國小都有一套，它可是 1960～2000 年間，許多人童年時最重要的兒童讀物呢！這段期間，也是臺灣各種兒童雜誌、讀物百花綻放的時代，像是兒童雜誌《學友》、《東方少年》、連環漫畫雜誌《王子雜誌》等，更有越來越多作者致力於創作故事給兒童閱讀，當時的豐富作品相較於今日可是絲毫不遜色喔！

　　值得一提的是，1988 年，政府解除了長達四十年的報禁，坊間開始有專以兒童為閱讀對象的專業報紙，其中有彩色版面的《兒童日報》，更與《國語日報》分庭抗禮，經常為小讀者介紹世界各國兒童讀物消息，坊間也開始有越來越多專門出版給兒童閱讀的繪本、故事書、童話、漫畫、百科……童書的形式、創作領域和關注的議題面向，都越來越豐富多元。

　　時至今天，網路帶來無遠弗屆的訊息流通，世界各國的創作者經常交流，也更容易閱讀來自全世界的精彩作品，回頭看看日治時期，甚至更早之前的臺灣兒童，你是不是也覺得什麼書都看得到的自己比較幸福呢？

■ 王子雜誌是在 1966 年，由蔡焜霖所創辦的，曾創下超過五萬冊的發行量。在實行《編印連環圖畫輔導辦法》漫畫審查時代，為臺灣漫畫保留了重要的歷史。

戰後重要的兒童文學創作推手

　　戰後臺灣有三位非常重要的兒童文學作家：林海音、潘人木與林良，他們都曾擔任編輯工作，也從事寫作，為臺灣的兒童文學貢獻良多。

　　出生於 1918 年林海音是知名的文學家，曾創作《城南舊事》等膾炙人口的作品。雖然是位女士，但是在文壇地位崇隆，人人都尊稱她為「林先生」。她曾於《國語日報》擔任編輯，也曾參與編輯《中華兒童叢書》，她覺得「要給孩子一個親切的世界，讓孩子覺得這個世界有愛。」，從此開啟了她創作童話、兒童散文之路。除了創作和編輯工作外，她在 1968 年創立「純文學出版社」，鼓勵許多文學新秀創作之餘，也翻譯出版經典作品《小兔彼得》系列故事。後來，更加入國小國語課編審委員會，主稿一、二年級之國語課本，這也是臺灣史上第一次將兒童文學作品放進教科書中。

　　被兒童文學界敬稱「潘先生」的潘人木，本名潘佛彬，曾任職於臺灣省教育廳兒童讀物編輯小組，編有《中華兒童叢書》、《中華兒童百科全書》等，更培養本土重要的文字與插畫家，如曹俊彥、馬景賢等人。後來更為臺灣英文雜誌社主編《世界親子圖書館》。除了編輯工作外，也從事創作、翻譯，更獲得不少獎項肯定，小說《蓮漪表妹》更是口碑載道。

　　而 2019 年以 96 歲高齡逝世的林良，筆名子敏，他也是戰後是臺灣非常重要的兒童文學作家，林良一開始在《國語日報》擔任「兒童版」主編，除了翻譯小亨利與淘氣的阿丹連環漫畫外，還寫散文、故事、詩、小說和兒歌。他也在《國語日報》連載〈看圖說話〉專欄，從 1959 年開始，天天見報不間斷。在網路還不風行的時候，廣播是很重要的傳播方式，林良也曾創作了一百多篇劇本，讓兒童可以透過聲音理解文字的韻律。他超過百本的著作都是許多臺灣人童年的閱讀良伴，其中《小太陽》更是許多人念念不忘的作品。

大事紀

1916 年	巖谷小波訪臺。
1934 年	北原白秋訪臺。
1943 年	黃鳳姿《臺灣的少女》以日文在東京出版。
1948 年	東方出版社成立。
1948 年	《國語日報》創刊。
1964 年	臺灣省教育廳兒童讀物編輯小組成立。
1978 年	臺灣第一家幼兒出版社「信誼基金出版社」創立。
1988 年	《兒童日報》創刊。
1989 年	日本福武書店在臺灣投資創刊《小朋友巧連智》中文版。
1996 年	國立臺東師範學院（今日國立臺東大學）成立「兒童文學研究所」。

影響臺灣關鍵物件

娛樂篇

如陀螺、竹蜻蜓。取自自然或是簡單木製玩具，

布袋戲野臺戲。能免費欣賞歌仔戲、隨廟會或活動，

及兒歌、童詩吟唱。幼兒教育帶入團隊遊戲

綜藝節目。開始有各種歌唱、電視臺設立後，

或是綜合大型花園遊憩場所遊玩也是娛樂選擇之一。至各種兒童遊樂場

帶動出國觀光旅行風潮。國際航線開展，

§ 第十八章 §

臺灣八景是旅遊活動的起點

　　如果有國外友人第一次來臺灣旅遊，你會推薦他到哪些地方玩呢？是到臺北101 看看這個臺灣知名地標，還是去太魯閣國家公園，領略大自然的鬼斧神工；或是到臺南吃小吃、逛夜市，再到安平老街走走，看古蹟；又或者你會介紹他們到墾丁享受海灘、陽光；或是到阿里山國家風景區搭小火車、看日出呢？

　　這些臺灣的知名景點究竟是怎麼來的呢？以前的人沒有網路，該怎麼推薦大家必遊景點？他們的旅遊方式跟現代人又有什麼不一樣呢？

日月潭在日治時代被選為臺灣八景之一，優美的湖光山色到今日仍受大眾喜愛。

如詩如畫的精選景點——「臺灣八景」

　　1684 年臺灣被納入清帝國版圖後，除了渡海前來開墾的漢人移民外，還有一些文人也陸續來到臺灣遊歷，並留下不少讚嘆島上奇山異水的詩作。其中 1696 年由福建分巡臺灣廈門道高拱乾編修的《臺灣府志》，更首度出現「臺灣八景詩」，描寫〈雞籠積雪〉、〈西嶼落霞〉、〈東溟曉日〉、〈安平晚渡〉、〈沙鯤漁火〉、〈鹿耳春潮〉、〈澄臺觀海〉、〈斐亭聽濤〉八個主題，描述在臺灣各地觀夕照、賞夜景、看海聽浪、遠眺日出等景色。從今日眼光檢視，這些清帝國文人們的「精選景點」，依然相當吸睛，當時的文人遊歷臺灣之餘，還留下吟詠八景的詩詞，表現自己的才情與美感品味，是不是跟現代人「旅遊打卡」的行為很像呢？

　　或許你會說「雞籠積雪」一定是假的，因為平地基隆哪有那麼容易會下雪呢？不過其實當時全球處於小冰河時期，氣溫相對較低， 所以「基隆積雪」其實是有機會發生的。此外，在《臺灣府志》中的八景，除了「雞籠」是在北部、「西嶼」在外島澎湖、「東溟」在東部海面外，其餘五景都集中在今天的臺南一帶，由此可知清帝國時期對臺灣的開發大多在西半部，而且是由南至北的開發歷程。當時臺灣的中、北部，還有隔著中央山脈的東部，都是較少人到訪的區域。有趣的是，詩中提及的「澄臺」、「斐亭」都是高拱乾自己修建的亭閣建築，作為文人雅士聚會的地點，讓人不禁猜測，選擇列入哪八個代表臺灣景色的過程，是不是有點「不公正」呢？

■ 「沙鯤漁火」中描繪的是臺南鯤鯓沙地，連綿漁船及遠方熱蘭遮城的遺跡景色十分優美。

各地跟風的「八景詩畫」

隨著漢人移民足跡逐漸遍布西部平原，各行政區紛紛參考「臺灣府八景」，選出「鳳山縣六景」、「諸羅縣八景」、「淡水廳四景」等清單，希望可以吸引更多人來當地遊歷甚至定居。清帝國晚期還出現「澎湖八景」、「蘭陽八景」等，只要行政區的劃分一有變化，各地景點也會更新調整，由此可見當時選出的各地區代表景點，與土地開發和行政區域劃分都息息相關呢！不過，難以到達的地點或「危險」的山區，也因此不會被選入八景之中。

根據學者統計，在清帝國時期共有 115 位文人寫下 532 首與臺灣有關的八景詩，這些詩作多收錄在臺灣各地的地方志書裡，一方面展示統治臺灣的成效，也方便後人快速了解臺灣各地的特色景點。

除了詩詞外，後來甚至還出現搭配詩文的「八景圖」版畫。在日治時代引進「風景寫生」觀念之前，這些圖文並茂的八景詩畫，可說是臺灣最早誕生的旅遊指南喔。

日治時期大熱門的「臺灣新八景」票選活動

清帝國的臺灣八景，被視為只在文人同溫層流行的雅趣，一般民眾並不關心。但到了日治時期後，日本政府認為清帝國的八景已經不合時宜，希望找出臺灣在日本帝國統治下全新的代表景點。於是在 1927 年，與總督府關係密切的《臺灣日日新報》，效仿日本內地的活動，舉辦大規模的「臺灣八景」票選活動。這一次，不僅是官方和文人，連市井小民都有機會表達自己對「臺灣之美」的看法 —— 投票方式非常簡單，只要將「代表臺灣的名勝」書寫於官方認可的明信片或投票紙上，再寫下自己地址與姓名，寄回指定地點，就大功告成。

雖然一次僅能寫一個景點，但每個人的投票次數不限。所以臺灣各縣市無不卯足全力、積極催票，希望鄉親用行動支持自家景點。這項票選活動也成功喚起各地人們的好勝心與在地榮譽感，短短一個月的活動期間，引起民眾熱烈參與，當時臺灣人口僅有 400 多萬，票選的最終總票數卻高達 3.5 億票！當時因為投票十分踴躍，臺北地區的投票紙還曾售罄，必須請廠商緊急加印呢！

　　最後選出的新八景分別是：基隆旭岡、淡水、日月潭、八仙山（臺中）、阿里山、壽山、鵝鑾鼻、太魯閣峽；審查員另外選出兩個「別格」（特選之意）：臺灣神社（今圓山大飯店原址）與新高山（玉山），表示這是特選景點。這些入選的景點，直到今天依然是享譽國內外的觀光名勝。特別的是，原本清帝國所選擇的八景中並沒有山景，但因日本引進現代化的登山運動，讓新高山（玉山）及次高山（今雪山），都成為熱門的景點及登山目標。

它可是在日治時代就受到票選出來的八景呢！

淡水河邊的夜景真的好美喔！

旅行是一種文創，也是一種休閒

在票選活動結束後，觀光局更特別登報，招攬到新八景遊玩的觀光團，一下子就讓「臺灣新八景」成為當時的熱賣保證，眼看商機無限，日本政府打鐵趁熱，相繼推出觀光導覽手冊、由日本知名畫家吉田初三郎繪製八景明信片，並製作紀念戳章，甚至還推出了印上風景圖案的「八景圖煎餅」……這些我們熟悉的「文創開發」周邊商品，原來早在 1920 年代末就已經在臺灣出現了！

後來隨著全島縱貫鐵路和其他交通建設逐漸完備，日本政府開始推動島內觀光，臺灣總督府還出版《臺灣鐵道旅行案內》，推薦臺灣的景點，甚至當時日本旅遊臺北支局除了推廣「休閒」這個現代化觀念，也鼓勵臺灣人實際到各地「觀看」日本人的政績，進而對殖民政權產生好感；而「新八景」的票選，自然不單是要選出「最美風景」，更具有讓日本內地人認識臺灣、擴大臺灣觀光產業、凝聚文化認同等多重意義。

這些推廣活動卻也著實帶動了臺灣各地觀光景點與旅遊業發展，直到 1937 年中日戰爭開打，由於各種資源相繼開始投入戰爭，這股觀光休閒風潮才開始退燒。

戰後，中華民國政府接手治理臺灣後，雖然在 1953 年曾經頒布中華民國版的「臺灣八景」，但因戒嚴時期觀光非主力推行的政策，其後沉寂了數十年，直至 2005 年才又再度重啟了「臺灣八景」的投票。在這次的票選活動中，包括當時還是世界最高樓的臺北 101、外國人來訪必遊的臺北故宮，以及整治後的高雄愛河全都入列；也有不少是多年來長居榜單、歷久不衰的景點，像是阿里山、日月潭、太魯閣峽谷等等。

在你心目中，最能代表臺灣的景點又是哪些呢？

大事紀

1684 年　臺灣納入清朝版圖,中國文人陸續來臺。

1696 年　《臺灣府志》首度出現文人書寫的「臺灣八景詩」。

1747 年　《重修臺灣府志》中出現「臺灣八景」的插圖。

1927 年　《臺灣日日新報》大規模舉辦「臺灣八景」票選。

1937 年　中日戰爭爆發,臺灣各地的觀光熱潮退燒。

1947 年　日本戰敗;日人的臺灣旅行社由臺灣省政府交通處接收。

1949 年　臺灣實施戒嚴,出國、旅遊都受到限制。

1953 年　臺灣省政府選定「臺灣新八景」。

1996 年　臺灣省旅遊事業管理局舉辦「票選臺灣十二風景名勝」活動。

2005 年　交通部觀光局重新票選「臺灣新八景」,選出臺北 101、墾丁等景點。

歷史故事延伸影音 ▶

公視青春發言人 -【臺灣史!不能只有我看到 Ep.3】
臺灣八景

§第十九章§
從文壇社交走向庶民化的下午茶

　　你喜歡喝下午茶嗎？炎炎夏日，跟三五好友一起到手搖飲料店買杯茶飲、吃吃點心、聊聊天，是不是很讓人放鬆呢？對現代人來說，這是再平凡也不過的消費，不過，在一百多年前的臺灣，喝「下午茶」可是只有在知識分子間流行的時髦休閒。

　　傳統以農業社會為主的臺灣，究竟是怎麼流行起「下午茶」如此帶有洋味的活動呢？老一輩的臺灣人又是怎麼喫茶喝咖啡的？故事得從日治時期開始說起……

九份山城的茶樓還保留著傳統喝茶文化，配上傳統糕點帶著濃濃的懷舊氣息！

咖啡店是一種摩登文化

　　早在一百年前，咖啡館就是日本人重要的生活場所之一，更是文人、學生喜歡聚會的地方。不說你可能不知道，開設於東京銀座的「老聖保羅咖啡館」，就是世界上最早廣開分店的連鎖咖啡館之一，在咖啡發展史上具有舉足輕重的地方。到了日治初期，日本人也將「咖啡」這種新奇的飲品引進臺灣。一開始它被稱為「番茶」，而臺灣的咖啡茶館文化更可以回溯到 1897 年，當時就有一家西洋料理茶館「西洋軒」在報紙上刊登廣告。到了 1912 年，「獅子咖啡店」在臺北新公園（今日二二八和平紀念公園）盛大開幕，店內裝潢華麗，身著和服與西式白色圍裙的「女給」（女服務生）穿梭於各桌之間，獨特的消費模式掀起一波熱潮。

　　不過，當時的「咖啡店」其實並不只賣咖啡，有些也會兼賣各式酒品、西式簡餐、糕點、麵包、飲料或冰淇淋等，獅子咖啡廳便是當時臺灣少數能品嚐到高級西洋餐點的餐廳。到了 1920 年代之後，咖啡廳越開越多間，原先只是點餐服務性質的「女給」，逐漸會陪伴客人聊天、一起跳社交舞，有些女給甚至成為咖啡店中吸引客人光顧的亮點。

當時咖啡店可說是介於大型宴會場合與小型餐館中間的消費空間，提供餐飲、可以跳舞、還能辦派對，收費卻相對低廉，加上讓人放鬆的店內氛圍，因而成為重要的社交場所，並在 1930 年代達到高峰。

後來，一些咖啡店的經營者希望能仿效西方，打造如同「沙龍」的形象，因此有些店家開始提供舉辦展覽和小型表演的場地，像是影響臺灣美術界深遠的畫家石川欽一郎，便曾在獅子咖啡店舉辦每月一次的「番茶會」，與會的朋友可以彼此觀摩寫生作品。其他的咖啡店則不時會主辦各類藝文活動，不久後就成為文人雅士們喜歡的聚會地點，像是天馬茶房，以及今天仍然開設在臺北市民生西路的波麗路餐廳，這些都是 1930、40 年代臺灣文壇、畫壇和戲劇界藝術人重要的聚集地。

有趣的是，當時甚至不時有讀者會投書給雜誌或報紙，發表對某一家咖啡店的評價，如果有太多「女給服務態度不好」、「餐點種類太少」或「價格太貴」的負評，下次其他人可能就不會再造訪了，這與今日常見的網路評價是不是有幾分相似呢？

臺灣茶香征服世界各地

日治時期，除了咖啡外，還有一種臺灣本地出產的「飲料」發展十分蓬勃，那就是清帝國治理後期的特產「烏龍茶」。在臺北大稻埕茶商的爭取下，總督府開始將臺灣的茶葉行銷到世界各地，並在日本各地的產業共進會中設立了「臺灣喫茶店」，後來甚至聘請臺灣少女擔任服務員，引起轟動，媒體爭相報導，也逐漸打開臺灣茶葉在海外的知名度，讓製茶產業更加蓬勃。

「茶」漸漸成為臺灣的象徵。像臺灣人當時最愛喝「香片茶」，是在茶葉中混入新鮮採摘的茉莉花，茶香特別濃郁，由於香片茶的製作成本不高、價格便

宜，因而更為普及。

　喝茶這件事情不但成為臺灣人的日常，後來更發展成個人品味的象徵。1923
年左右，日本販售洋菓子的商家在臺灣陸續成立「喫茶店」，主要販賣咖啡、
紅茶、點心等輕食，店內女侍僅提供餐飲服務，整體的消費金額比咖啡店便宜
得多，環境也更為單純，很快就廣受歡迎。在當時，約心儀對象去喫茶店談
天、喝杯咖啡，可說是非常時髦的事情呢！也因此，比起咖啡店，臺灣人更常
光顧平價的喫茶店，文人們也經常在喫茶店聚會，像是林獻堂、呂赫若等文化
界重要人士，曾多次前往森永喫茶店用餐。除此之外，喫茶店也會和一些藝文
表演結合，像是在 1924 年開幕的「永樂座戲院」更提供了邊看戲、邊喝茶的
服務，很像是現在的複合性餐飲，很快就成為當時臺灣文青造訪大稻埕的必遊
景點之一。

終於可以到喫茶店朝聖了。

聽說有許多名人
也會到這裡來呢！

文學新星的誕生地和泡沫紅茶店

　　隨著咖啡店與喫茶店越來越普遍，無論是作為單純「很潮」的消費空間，或是讓人暢談文學、鑑賞藝術、聆聽音樂的文青聚會場所，咖啡與茶都在日治時代的各種記載中留下特殊身影；在眾多日治時期留下來的文學作品，也時常可以看到這些社交場景，讓我們能一窺當時新潮的生活方式。

　　到了戰後，由於中央政府遷臺後，最高行政機關仍以舊時日本總督府（今日總統府）為辦公地點，政府機關則群聚周邊，因而從衡陽路至西門町一帶，成為當時臺北最熱鬧的地方，咖啡店也極為興盛。其中，位於武昌街的「明星咖啡館」更是臺灣近代文學史重要的發源地，包括知名畫家顏水龍、楊三郎，以及重要作家黃春明、三毛、白先勇等人都是常客，濃厚的藝文氣息至今仍吸引許多文學愛好者前往朝聖。

　　除了充滿文青感的咖啡店或喫茶店，1980 年代以降，隨著臺灣的經濟起飛，平價的「泡沫紅茶店」曾紅極一時，所衍生的全新口感飲品「珍珠奶茶」後來更紅到全世界，成為臺灣最具代表的美食之一。

　　不僅是茶，喝咖啡也從原本知識分子間的高級休閒，走向庶民化。1998 年全球知名品牌星巴克來臺設立分店，讓臺灣原本偏日系的老派咖啡館，開始加入洗練的美式都會風格，年輕消費人口也快速增加。看準咖啡市場的大餅，2004 年，統一超商率先加入賣咖啡的戰局，提供更平

到明星咖啡館寫作真的文思泉湧呢！

價、更隨處可得的咖啡，從此臺灣的咖啡消費倍數增加，根據業者統計，目前臺灣四大超商一年賣出的咖啡，竟然可高達四億杯呢！

　　讀到這裡，你是不是也覺得原來下午茶和「飲料」的演變，竟然也有這麼大的學問，跟民生經濟與社會文化的發展都環環相扣，由小窺大，其實也正是所有庶民生活史中最有趣的地方呢！

大事紀

1869 年	臺灣烏龍茶首次銷往美國，深受外國人喜愛。
1897 年	西洋料理茶館「西洋軒」在報紙上刊登廣告，應是臺北最早的咖啡茶館。
1900 年	法國舉辦「巴黎萬國博覽會」，臺北茶商公會爭取設立「臺灣喫茶店」。
1912 年	「獅子咖啡店」盛大開幕，不只賣咖啡，也賣各式酒品、西洋料理。
1923 年	「喫茶店」陸續在臺成立，店內不賣酒，主要販賣咖啡、紅茶、點心等輕食。
1930 年代	咖啡店成為文人們的重要社交場所。
1932 年	臺灣總督府調查全臺咖啡店的數量，以利制定管理辦法。
1980、90 年代	茶藝館、泡沫紅茶店紅極一時。
2004 年	統一超商開始賣咖啡，各大超商也紛紛加入。目前超商也成為最受歡迎的平價咖啡通路之一。

歷史故事延伸影音 ▶

Taiwan Bar -【《偵茶事務所》EP2】
英式下午茶只喝紅茶？歐洲人成為茶奴的各種瘋狂

§第二十章§
古早臺灣人也會追劇

　　1962 年以前，臺灣的電視臺還沒開播，當然更別說有網路，但你知道嗎？那個時候的臺灣人也很會「追劇」呢！只不過，他們追看的戲劇，既不是長達二、三十集的連續劇，也不是熱門電影，而是各式各樣的傳統戲劇表演，其中最受歡迎的莫過於常在酬神或廟會活動出現的布袋戲與歌仔戲了！當時甚至會有人「斗內」（捐贈之意），以金錢、黃金首飾，甚至金條打賞給歌仔戲演員，熱衷追星的程度可一點也不亞於現在呢！

以前在廟埕或是廣場臨時搭建的野臺戲，就是許多民眾追劇的表演廳呢！

掌中有乾坤

　　布袋戲別名掌中戲，大約是在十九世紀中葉自中國傳入臺灣，精彩的故事情節、生動的演出方式，讓布袋戲很快就成為老少咸宜的民間娛樂，每到酬神時刻，廟埕前總會聚集滿滿的觀戲人潮。到了日治時期，由於布袋戲多半以閩南語等漢人母語演出，內容也多以各種傳統故事為題材，與日本政府希望儘快「教化」臺灣人成為日本帝國子民的政策不符，因此日本政府經常干涉或限制布袋戲的演出。甚至到了日治後期，布袋戲還被作為皇民化政策的宣傳工具，不但被迫改說日語演出，題材也多以宣揚愛國精神為主。

　　二次世界大戰之後，布袋戲的演出內容變得更加多元，除了改編中國歷史故事、武俠小說，有些劇團更演出天馬行空的劇情，搭配乾冰、爆竹等特效，強烈的戲劇效果，緊緊抓住戲臺下大小觀眾的心。當時許多布袋戲劇情會安排主要角色都是武藝高超的人物，常使用「金剛護體」的功夫，配合華麗的布景、金光閃閃的戲服更加強了武俠效果，這類充滿想像力的劇情被戲稱為「金剛戲」；後來在布袋戲大師李天祿受訪指出，因臺語「金剛」與「金光」同音，於是大家開始習慣稱呼為「金光戲」。

野臺布袋戲走進戲院和小螢幕

1950 年代，因為中華民國政府力倡節約、壓縮民俗祭典的時間與規模，野臺布袋戲面臨無戲可演的窘境，於是有一些戲團便走入戲院，以售票的「內臺戲」維持生計。為了吸引觀眾願意買票看戲，布袋戲團便在舞臺機關與戲偶造型、音樂、劇情下功夫，不僅戲偶加大、造型精緻化，配樂也加入流行音樂，劇情安排上更是高潮迭起，也如同連續劇般在結尾留下「下回待續」的懸疑伏筆，吊足觀眾胃口，讓觀眾心甘情願下次再買票進場。

到了 1962 年，臺灣電視公司創臺開播，播出李天祿「亦宛然」掌中劇團的《三國志》紀錄影片，這是臺灣布袋戲首度登上電視。到了 1965 年，臺視更正式播出第一齣電視布袋戲，大受好評，從此電視播映也成為布袋戲的新舞臺。1970 年代，黃俊雄劇團以最新的音響效果和電影化的拍攝手法，配上流行歌曲、文雅口白和緊湊劇情，打造轟動全臺灣的《雲州大儒俠》，更締造了 97% 的超高收視率。當時中午播出時間一到，許多學生會翻牆蹺課，只為一睹最新劇情發展；街上人車稀少，因為大家都守在電視機前等著看主角「史艷文」和劇中反派「藏鏡人」的最新對決，布袋戲的狂熱達到最高峰。

不過因為電視布袋戲實在太紅了，1974 年時政府決定出手限制，要求布袋戲改為國語配音，最後甚至以「推行國語」、「妨害農工正常作息」等理由禁止所有電視布袋戲演出，直至八年之後才解禁。

1982 年之後，黃俊雄之子黃文擇所製作的「霹靂」系列布袋戲也廣受歡迎，帶領布袋戲進入至今不墜的另一個高峰，他們不但加入炫目的多媒體後製特效，還將木偶、布景、道具改造得更華麗，開發了各式各樣的周邊商品，甚至成立專屬有線電視頻道、拍電影，也打入國際市場。

土生土長的「臺灣歌劇」：歌仔戲

除了布袋戲之外，另外一種也廣受普羅大眾歡迎的娛樂則是「歌仔戲」，它是唯一發源於臺灣本土的傳統戲曲表演。歌仔戲的「歌仔」二字，在臺語裡有山歌、小曲的意思，是人們在農忙之餘哼唱的歌曲，內容也大多取材自日常生活，後來加入簡單的民間故事。

一開始，「歌仔戲」沒有專門的演員或道具，更不需要搭建專屬的舞臺，只要用四根竹竿立在四個角落，就可以在空地即興演出，因而被稱為「落地掃」，目前在歌仔戲的發源地宜蘭地區，仍可見這種「老歌仔戲」的表演。

歌仔戲的唱腔，與使用「假嗓」的京劇不同，演員可以用原本的嗓音來演唱，歌詞主要是每首四句、每句七字的「七字仔調」。後來也漸漸融入了其他劇種的特色，像是北管、南管的曲調或是京戲的武打動作。其後歌仔戲發展為有戲臺的表演，通常會受邀至酬神時公演，總能吸引大批觀眾前來觀賞。

等一下就要登臺演出了，好緊張啊！

莫急莫慌，那麼多觀眾都是慕名來看你演出的呢！

在日治末期的皇民化運動推行期間，歌仔戲演員也曾被迫穿上和服、說日語演出。戰後的 1950 年代，則是歌仔戲的黃金時期，當時全臺有三百多個戲團，知名劇團和演員更開始錄製唱片、廣播和電影，也和布袋戲一樣走入小螢幕。1962 年，由廖瓊枝主演、充滿實驗性質的首齣黑白「電視歌仔戲」《雷峰塔》在臺視以連續劇形式播出。其後，臺灣歌仔戲國寶級演員楊麗花領銜主演多部電視歌仔戲，更成為家喻戶曉的「男主角」，深入庶民生活，大幅擴大收視族群，同時也帶領電視歌仔戲從黑白走入彩色時代。

1980 年代，臺視、中視、華視三家電視臺都擁有自家專屬的歌仔戲團，形成激烈的競爭態勢，可說是臺灣電視歌仔戲最蓬勃的時期。也因為歌仔戲極受歡迎，還曾經有觀眾投書媒體，指出小孩受到誘導而想入山學道、學劍，由此可見當時歌仔戲有多麼深入人心。

現在的歌仔戲也逐漸走向精緻化，像布袋戲一樣經常代表臺灣，出國巡迴演出。其中更以享譽國際的明華園戲劇總團最具知名度，他們將傳統歌仔戲融入現代劇場及電影分場的節奏，且巧妙結合了音樂、戲劇、舞蹈、民俗、美術、聲光等各類藝術，讓歌仔戲登上國家戲劇院表演。

另外也有劇團的第二、三代接班者，將傳統歌仔戲表演與兒童戲劇結合，或是將故事書上的內容轉為歌仔戲演出，讓歌仔戲表演多了許多嶄新元素。無論是布袋戲或歌仔戲，歷經歲月淘洗，時至今日，仍以不同的形式在各式各樣的舞臺發光發熱。多虧劇團成員的默默耕耘，精彩的傳統藝術和「戲臺看戲」的感動才得以延續，這可是臺灣極為珍貴的文化資產呢！

1950 年代	歌仔戲的黃金時期,全臺超過 300 多團。
1952 年	政府通過《改善民俗綱要》,壓縮民俗祭祀活動的時間與規模。
1962 年	臺視創臺,播出李天祿「亦宛然」掌中劇團的《三國志》紀錄影片,是臺灣布袋戲首度登上電視。
1962 年	第一部黑白「電視歌仔戲」《雷峰塔》在臺視以連續劇形式播出。
1970 年	電視布袋戲《雲州大儒俠》轟動全臺灣,締造 97% 的超高電視收視率。
1974 年	新聞局文化處下令停播《雲州大儒俠》,並禁播臺語發音的布袋戲,電視布袋戲數量大減。
1982 年	「霹靂布袋戲」再度掀起布袋戲熱潮。
1995 年	有線電視頻道「霹靂衛星電視臺」成立。
1999 年	「國立臺灣戲曲專科學校」成立。
2002 年	「國立傳統藝術中心」正式掛牌營運。

第二十一章

臺灣是華語流行音樂的搖籃

　　講到具有「臺灣味」的音樂，你會聯想到什麼呢？是原住民的傳統歌謠、臺語兒歌和唸謠，還是歌仔戲中曲調悠長的音樂呢？其實臺灣的流行音樂正是從歌仔戲開始，一直到 1930 年代開始蓬勃發展，被喻為「臺灣歌謠之父」的鄧雨賢，曾經創作許多經典歌曲，像是〈望春風〉、〈雨夜花〉都在這段時間誕生。戰後，臺灣雖然曾經歷長時間的戒嚴壓抑，卻仍然匯集了豐富的創作能量，之後更發展成為全球華語流行音樂的孵育搖籃，引領了數十年的風潮。

現在的歌手登臺表演十分常見，但在戒嚴時期，想要唱歌可得先去報考歌星證呢！

日商公司居然是臺語流行歌的推手

提到日治時期臺灣流行歌曲蓬勃發展，一定不能不提及 1920 年代成立的「古倫美亞」唱片公司。它原本以代理美國唱片品牌為主，發行中國京劇、西洋樂曲的唱片，也自行錄製歌仔戲和臺灣音樂的作品。1932 年，電影片商為了宣傳《桃花泣血記》，決定請人創作同名臺語宣傳歌曲——這種「電影主題曲」作法或許現在很常見，但是在當時可是大膽嘗試呢！結果電影一炮而紅，主題曲也跟著傳遍大街小巷，古倫美亞後來更成立了唱片文藝部，聘請當時知名的作詞、作曲家，還招募歌手與樂手，開始製作具有「臺灣味」的歌曲，自此也成為臺灣流行音樂的推手。

古倫美亞擁有當時最堅強的音樂陣容，幾乎獨占了整個市場，像是〈望春風〉的作詞者李臨秋、作曲家鄧雨賢，以及歌仔戲班出身的當紅歌手劉純純等人，都齊聚在古倫美亞旗下，陸續打造出〈四季紅〉、〈雨夜花〉、〈月夜愁〉、〈跳舞時代〉等至今仍膾炙人口的歌曲。不過，當時臺灣並沒有錄音設備，所以歌手和樂手們每每要錄製新唱片，都得從基隆搭乘四天的船班，前往日本東京錄音，之後再從日本進口唱片來臺販售，所耗費的高額成本可想而知。即使如此，但是唱片叫好叫座，讓古倫美亞能支應高額的製作及進口經費，也為當時臺語流行歌曲開闢了一條新路！

然而，在中日戰爭爆發後，總督府推行皇民化政策，為了壓抑臺灣人的民族意識，開始嚴格取締臺語歌曲；戰爭後期，更將〈望春風〉等曲目新添歌頌從軍的歌詞，重新製作，對臺灣的流行音樂造成嚴重打擊。1945 年，美軍空襲臺北，古倫美亞公司毀於轟炸行動，臺語歌曲的黃金時代也隨之灰飛煙滅。

■ 古倫美亞唱片所販售的是蟲膠唱片，蟲膠唱片的原料來自東南亞一種常宿於樹上的膠蟲，需要透過特別的唱片機才能播放。

禁歌年代與西洋風潮

　　二次世界大戰後，國民政府來到臺灣，不久後頒布《戒嚴令》，不僅取締帶有日本軍國主義色彩的歌曲，連臺語歌也屢遭打壓，唱片甚至必須預先送審，確認歌曲內容後才能發行。當時歌曲被禁播的理由無奇不有，無論是被認為親日、宣傳共產思想或歌詞太負面，統統會被禁播。像是〈何日君再來〉被認為有「期待共軍再來」的意思，不僅音樂被禁，作曲者也受到迫害；〈媽媽請你也保重〉則被認為「在軍中思念親人，會懷憂喪志」而遭禁播；甚至也出現過審查的單位認為作詞者寫的歌曲太悲情，要求作詞人加寫歌詞，讓歌詞內容變成「快樂結局」等荒謬現象。

這種審查制度也同樣適用於現場演唱。歌手若無「歌星證」就不能登臺演出；若要取得歌星證，則得通過「考試」，抽考的內容就是演唱「愛國歌曲」與「國語歌曲」，不少拒絕接受此規定的歌手只好離開臺灣。不過，雖然臺灣的音樂發展受到限制，但政府的打壓並沒有完全消滅這些歌曲，「禁歌」反而越禁越紅，民間依舊傳唱。

戰後隨著美軍來臺，美國流行的文化和音樂也對臺灣帶來極大的影響，相較於華語和臺語歌曲處處被審查，政府對於西洋音樂採取相對放任的態度，美軍廣播電臺也成為當時接觸最新歌曲的管道，搖滾、嬉皮、民謠等不同風格的音樂，更給予臺灣年輕音樂創作人的養分，孕育下一波流行歌曲的誕生。

1987 年解嚴後，嚴格的禁歌限制終於開始放寬，但尚未完全解禁，直到 1990 年歌曲審查制度才終告結束。

 ## 電視歌唱節目與民歌運動

1960 年代末，電視在臺灣開始普及，臺視《群星會》是臺灣電視史上第一個歌唱節目，讓流行歌曲從廣播中純粹的聽覺轉為視聽兼備的表演，也因此帶動男女對唱熱潮。而當時紅極一時的連續劇《晶晶》，更開啟電視「八點檔」黃金時段的熱潮，主題曲則由當時中視力捧的歌唱節目《每日一星》主持人鄧麗君所演唱，隨著主題曲與連續劇的日日播出，鄧麗君從此也成為臺灣家喻戶曉的明星。

另一個為臺灣流行音樂挖掘許多閃耀新星的歌唱節目則是臺視選秀節目《五燈獎》系列，節目初期是歌唱比賽擂臺，讓參賽者表演歌唱才藝，包括知名歌手張惠妹和綜藝天王吳宗憲都是從這個節目步入演藝界，儼然變成素人一圓星夢的最佳平臺，也是培育許多流行音樂人才的搖籃。

1970 年代則是臺灣流行歌曲的重要里程碑，當時歌壇的流行曲風原本趨向西洋歌曲。然而因為臺灣在國際上開始面臨外交困境，因而許多創作者將目光轉回臺灣本土。1971 年中視播出《金曲獎》節目，主持人洪小喬喊出「創作我們自己的歌、演唱我們自己的歌」的口號，並邀請作曲家和作詞家投稿及歌手演唱，再由觀眾票選優良歌曲，造成相當大的轟動。

　　「唱自己的歌」的主張，也一舉揭開校園民歌運動的序幕。當時的民歌編曲簡單，演出者往往拿著吉他自彈自唱，歌詞裡歌頌著校園裡的青春純情，在政府的默許下，造成流行風潮。不過，受到當時語言政策的影響，無論是電視上或是民歌時期，流行歌曲都是以「國語」為主。

　　到了 1980 年代，本土唱片公司「滾石」、「飛碟」等陸續成立，與國際唱片公司分庭抗禮，也讓臺灣華語音樂逐漸走向高峰。1987 年解嚴之後，長期壓抑的臺語歌曲終於逐步解放，當時素人歌手林強首張專輯《向前走》，以搖滾樂編曲打破了臺語歌曲長期以來的悲情曲風，更被視為是新臺語歌運動中的代表作品之一。

　　1990 年代以後，進入全球化時代，兩岸三地的音樂創作交流日益頻繁，隨著國際交流越來越多，加上許多選秀節目的舞臺，讓許多獨立音樂製作人或樂團有了更多被肯定的機會，各種創新嘗試的音樂也為臺灣流行音樂帶來新氣息。而臺灣自由、多元的創作氛圍，也引領了整個亞洲華語音樂的流行風潮，諸如「天后級」的張惠妹，以及 2000 年以後臺灣最具代表的歌手「周董」周杰倫，都是華語流行樂壇舉足輕重的指標人物。也有不少華語圈歌手選擇從臺灣出道，由此可知臺灣對華語流行音樂影響力一直持續至今呢！

1927 年	日本商人代理美國唱片品牌，在臺灣成立「古倫美亞」唱片公司。
1932 年	電影《桃花泣血記》同名臺語宣傳歌曲爆紅。
1937 年	中日戰爭爆發，總督府推行皇民化政策，開始嚴格取締臺語歌曲。
1945 年	美軍空襲臺北，古倫美亞公司毀於轟炸，結束營運。
1949 年	《戒嚴令》頒布，取締帶有日本軍國主義色彩的歌曲，臺語歌也屢受打壓，唱片必須送審才能發行。
1962 年	臺視《群星會》成為臺灣電視史上第一個歌唱節目。
1971 年	中視播出《金曲獎》節目，校園民歌流行一時。
1973 年	新聞局從警總接手歌曲查禁工作，頒布《出版法》羅列禁歌理由。
1975 年	楊弦舉辦「現代民謠創作演唱會」，被推崇為「現代民歌之父」。
2000 年	2000 ～ 2010 年是臺灣流行音樂蓬勃期，期間有許多紅透半邊天的歌手或樂團，如蔡依林、周杰倫、孫燕姿、五月天、SHE 等。不過後來受到盜版音樂影響，CD 銷量大大銳減，許多歌手轉以多元化經營，轉往線上音樂平臺及演唱會或 Live 演出，開啟新的華語音樂景況。

§ 第二十二章 §
# 從黑白電視走向網路電視

　　你每天花多少時間看電視呢？收看網路影片的時間有是不是比電視節目還長呢？現代人只要一打開手機或電腦，就有琳瑯滿目的節目及影片可以觀賞、打發時間。

　　不過，在 1960 年代，電視可是臺灣極為珍貴的「稀有財」，一個村落二、三十戶人家，頂多只有一兩個家庭擁有電視，只要播放《群星會》或是轉播重要的賽事時，可是會吸引整個村莊的人到家裡圍觀收看呢！從稀有走向普及、從黑白走向彩色、從類比走向數位，長達六十年的電視演進史，可是超乎想像的精彩喔！

電視隨著技術開發，有各種機型，也成為闔家觀賞的休閒娛樂呢！

臺灣電視的萌芽

　　1960 年代，臺灣休閒娛樂顯得稀少且昂貴。當時臺灣電視機數量稀少、價格也非常驚人，一臺電視要價近萬元，相當於一般家庭好幾個月的收入，能買得起電視機的家庭少之又少。好不容易買了電視機的人，便會把它擺放在客廳最醒目的地方，凸顯家中財力，還會時常邀請親朋好友一起來家中「觀賞」電視，藉機表現自己的社經地位，還因此產生新的社交模式──有電視的家庭，常會成為大家晚餐過後聚會的地方。

　　1962 年臺灣電視公司（後簡稱臺視）開播，帶動電視機的消費，不過，對許多家庭來說，電視機仍屬於高價位的電器產品，為了刺激消費，家電廠商開始大力推廣「電化生活促使家庭幸福」的概念，將電視機塑造成「現代化的象徵」，並將電視與美滿家庭連結，不斷強化電視「可以維繫家庭感情」，廣告中也常出現「全家一起看電視」，構成和諧與溫馨家庭的完美畫面，就連大同公司也曾使用「電器是最好嫁妝」的廣告號召，鼓勵新婚家庭添購電視與電冰箱等實用電器，漸漸帶動電視機的銷售。

　　不過，那個時候的電視可不像現在，一打開就有各式各樣的節目可以觀賞。在解嚴以前，臺灣的電視臺只有三個無線電視臺：臺視、中視、華視可以收看，而且只在每天中午開播，午夜收播，收播前還會播放國歌；沒有節目的時候，打開電視只能看到一個圓形的檢驗圖。而且電視剛開始發展時，也只能看到黑白影像的節目，一直到 1969 年臺灣才有彩色的電視節目可以收看，從此電視也從黑白進入彩色時代。隨著臺視、中視、華視三家電視臺都已步上軌道，電視開始成為民眾娛樂的主要來源。到了 1984 年，平均每戶家庭已至少擁有一架電視機，電視真正走入普羅大眾的生活。

那個年代的電視節目很無聊？

　　不過，可別以為古早時代的電視節目一定很無聊喔！臺灣早在 1962 年就有流行歌唱節目，那就是培養了超多歌手的《群星會》，它是臺灣電視史上第一個歌唱節目，每集 30 分鐘，採現場直播方式，後來也成為第一個彩色電視現場節目。除此之外，也有結合歌舞、訪問及爆笑短劇的《銀河璇宮》、傅培梅烹飪節目、首部電視連續劇《晶晶》、電視史上最長壽的節目《五燈獎》等都十分膾炙人口。

　　其中，「連續劇」更是電視臺黃金時段的一級戰場。在全盛時期，三臺曾每天播出四齣連續劇，也因此激盪出許多至今仍讓人津津樂道的作品。其中，臺語連續劇曾一度蓬勃發展，題材多元，廣告收益也相當驚人。像是 1972 年華視的臺語連續劇《西螺七劍》播出 222 集，創下當時臺語劇播出集數的最高紀錄，主題曲傳唱大街小巷，廣告量也相當驚人，當時被戲稱是「看廣告插播《西螺七劍》」，廣告時間甚至長到足夠讓人去洗澡，還因此被政府單位糾正。

除此之外，當時也有大型外景綜藝節目，就連人類登陸月球、「中國小姐」選拔賽、國慶閱兵大典也都有轉播喔！在 1960 ～ 1970 年代，還有一種電視節目最讓人熱血沸騰，那就是運動賽事轉播。1962 年臺視開播隔天，便轉播中華隊與紐西蘭隊在臺北的籃球比賽。在電視發展初期，籃球比賽是主要的運動轉播，像是世運籃球代表選拔比賽、少年籃球表演賽，都是電視臺現場轉播的重要運動賽事。

　　1962 年，美國發射傳播衛星成功，透過衛星轉播的新聞和節目越來越多，1964 年的東京奧運會，我國選手楊傳廣奪金呼聲極高，更因此造成臺灣一波電視促銷熱潮。其後棒球賽事的轉播，更帶動了臺灣的棒球熱潮，像是 1968 年臺視現場轉播的第 23 屆世界少棒賽，我國紅葉少棒隊以 7：0 懸殊比數擊敗日本隊，轟動全國；1969 年臺中金龍少年棒球隊 8 月赴美打敗美國隊、獲得世界冠軍，觀眾更主動要求臺視轉播，臺視因而向美國電視公司購買球賽影片播映。從此，凡有棒球轉播，臺灣彷彿成了「不夜國」，全國觀眾包括大人小孩都不睡覺，守到半夜開賽，情緒跟著電視機的衛星畫面七上八下；等到確定冠軍之後，全國各地鞭炮聲更會此起彼落，舉國歡騰。

電視節目管很大

　　但是，處於戒嚴時期的臺灣，電視節目的播放內容也受到管控。過去政府還曾實行「電視廣播接收機執照」制度，想要購買電視機的人不但得經過審查，還需繳交六十元的執照費，並發給證照，表示合法收看電視。電視節目的播放更有嚴格規範，像與日本斷交後，在日本拍攝、有日本演員演出或是

■ 電視機用戶必須申請
《電視廣播接收機執
照》，並繳交執照費，
才能在家看電視。

疑似宣揚日本文化的節目都無法播放。

後來隨著政府推行「國語運動」，逐步擴大禁止方言，並從最受歡迎的布袋戲《雲州大儒俠》開刀，1974 年更下令禁播臺語發音的布袋戲，但改用國語配音的布袋戲因收視不佳，很快就草草收場。1978 年起，三臺每日的臺語節目更被限制至多播放一小時，且不能連續播放，黃金時段只准一臺播出。除此之外，也更嚴格審查臺語劇本，還會派員監看。導致臺語演出的歌仔戲也受影響，甚至被迫改用國語唱歌仔戲，許多演員因無法接受而離開舞臺。

也由於三臺節目的製播處處受到限制，1969 年起，臺灣民間社區共同天線業者，開始私下透過錄影設備、衛星天線及纜線，發送節目給區域內的觀眾收看。這些俗稱「第四臺」的有線電視，節目內容以鄰近國家（尤其日本）的衛星電視節目，還有電影、電視劇的錄影帶，以及股市資訊等為主，民眾只要選購一個機上盒並繳交月費，就可以收看多個頻道的節目，內容相較三臺更是新鮮有趣，所以非常受到歡迎。到 1990 年代中期，第四臺的總數曾高達好幾百家，訂戶估計更超過 300 萬戶，幾乎七成以上的臺灣家庭都是收視戶呢！

1990 年代以降，臺灣社會漸趨多元，民視、公視相繼加入無線電視臺的行列，原本無法可管的第四臺，也在 1993 年《有線廣電視法》通過以後，逐步走向合法可受監管的行列。長期受到壓抑的母語，在 2000 年以後，逐步成立專屬的客家、原住民族、臺語電視臺，製播多樣化的母語節目，再也不必被迫說「國語」！

如今臺灣的電視臺已全面採用數位訊號製播及傳送，畫質更加清晰穩定，更有眾多網路電視業者加入競爭行列，提供「隨選隨播、隨時可看」的服務，這種「想看什麼就有什麼」的便利性和豐富度，應該是五、六十年前的「電視兒童」們無法想像的吧！

1968 年　臺視現場轉播第 23 屆世界少棒賽，由我國紅葉少棒隊擊敗日本隊。

1969 年　中視開播，開啟電視彩色製播時代。

1971 年　華視開播，電視產業正式形成「三強鼎立」的三臺局面。

1972 年　華視的臺語連續劇《西螺七劍》播演 222 集，創下臺語劇集數最高紀錄。

1974 年　新聞局文化處停播布袋戲《雲州大儒俠》，並下令禁播臺語發音的布袋戲。

1978 年　三臺每天臺語節目至多播放一小時，嚴格限制本土語言節目。

1979 年　全臺彩色電視機數量達 190 萬多臺，超越黑白電視 158 萬多臺，電視機普及率超過 50%。

1984 年　彩色電視逼近 500 萬大關，平均每戶擁有至少一臺電視機，電視走入臺灣家庭。

1993 年　《有線電視廣播法》通過，長期地下化的有線電視業者逐漸走向合法、受監管行列。

1997 年　民視、公視相繼加入無線電視行列；2012 年臺灣無線電視全面走向數位化。

附錄

本書與十二年國民基本教育社會領域課綱學習內容對應表

國民小學中年級教育階段（3-4 年級）

學習主題軸	內涵概念	能力指標編碼與主要內容	對應內容
A. 互動與關聯	b. 人與環境	Ab-Ⅱ-1 居民的生活方式與空間利用，和其居住地方的自然、人文環境相互影響。	全書
		Ab-Ⅱ-2 自然環境會影響經濟的發展，經濟的發展也會改變自然環境。	全書
	f. 全球關連	Af-Ⅱ-1 不同文化的接觸和交流，可能產生衝突、合作和創新，並影響在地的生活與文化。	第三章、第四章、第十三章、第十八章、第十九章、第二十二章
B. 差異與多元	b. 環境差異	Bb-Ⅱ-1 居民的生活空間與生活方式具有地區性的差異。	第三章、第四章、第八章、第九章、第十章
C. 變遷與因果	a. 環境的變遷	Ca-Ⅱ-1 居住地方的環境隨著社會與經濟的發展而改變。	全書
		Ca-Ⅱ-2 人口分布與自然、人文環境的變遷相互影響。	第十一章、第十二章
	c. 歷史的變遷	Cb-Ⅱ-1 居住地方不同時代的重要人物、事件與文物古蹟，可以反映當地的歷史變遷。	全書

國民小學中年級教育階段（5-6 年級）

學習主題軸	內涵概念	能力指標編碼與主要內容	對應內容
A. 互動與關聯	b. 人與環境	Ab- III -1 臺灣的地理位置、自然環境，與歷史文化的發展有關聯性。	全書
		Ab- III -2 交通運輸與產業發展會影響城鄉與區域間的人口遷移及連結互動。	第十一章、 第十二章、第十三章
		Ab- III -3 自然環境、自然災害及經濟活動，和生活空間的使用有關聯性。	全書
C. 變遷與因果	b. 歷史的變遷	Cb- III -1 不同時期臺灣、世界的重要事件與人物，影響臺灣的歷史變遷。	全書
		Cb- III -2 臺灣史前文化、原住民族文化、中華文化及世界其他文化隨著時代變遷，都在臺灣留下有形與無形的文化資產，並於生活中展現特色。	全書
	e. 經濟的變遷	Ce- III -1 經濟型態的變遷會影響人們的生活。	第十一章、第十二章、 第十八～第二十二章
		Ce- III -2 在經濟發展過程中，資源的使用會產生意義與價值的轉變，但也可能引發爭議。	第十章～ 第十六章

國民中學教育階段（7～9年級）

學習主題軸	內涵概念	能力指標編碼與主要內容	對應內容
B. 早期臺灣	a. 史前文化與臺灣原住民族	歷 Ba- IV -1 考古發掘與史前文化。	第五章
		歷 Ba- IV -2 臺灣原住民族的遷徙與傳說。	第五章
E. 日本帝國時期的臺灣	a. 政治經濟的變遷	歷 Ea- IV -2 基礎建設與產業政策。	第十章、 第十三～第十七章
F. 當代臺灣	b. 經濟社會的變遷	歷 Fb- IV -1 經濟發展與社會轉型	全書
		歷 Fb- IV -2 大眾文化的演變。	全書
I. 從傳統到現代	c. 社會文化的調適與變遷	歷 Ic- IV -1 城市風貌的改變與新媒體的出現。	第十八章、 第二十章～第二十二章

參考書目：

1. 中華民國電視學會編，《中華民國電視年鑑（民國五十年－民國六十四年）》，臺北：中華民國電視學會，1976。
2. 文可璽，《臺灣摩登咖啡屋：日治臺灣飲食消費文化考》，臺北：前衛出版社，2014。
3. 王唯，《透視臺灣電視史》，臺北：臺灣學生書局，2006。
4. 申惠豐，〈帝國的審美與觀視：論臺灣八景言說的建構及其美學意識型態〉，《臺灣文學研究》1卷 2 期（06）。
5. 何東洪、鄭慧華、羅悅全等，《造音翻土：戰後臺灣聲響文化的探索》，臺北：遠足文化，2015。
6. 何恃東，《永恆的巨星─臺灣電視歌仔戲四十年》，臺北：遠足文化，2004。
7. 何貽謀，《臺灣電視風雲錄》，臺北：商務，2002。
8. 吳兆宗，〈昭和 2 年臺灣八景募集活動及其影響〉，國立彰化師範大學歷史學研究所碩士論文，2012。
9. 吳亮衡，〈臺灣最美麗的風景是？將近一百年前，臺灣人就用選票投出了這「臺灣八景」〉，https://gushi.tw/eight-views-of-taiwan/
10. 呂昆彥，《臺灣戰後布袋戲的媒體化過程：以五洲派為例》，淡江大學歷史學系碩士班學位論文，2013。
11. 宋南萱，〈臺灣八景從清代到日據時期的轉變〉，國立中央大學藝術學研究所碩士論文，1999。
12. 邱各容，《臺灣兒童文學史》，臺北：五南，2005。
13. 柯裕棻，〈臺灣電視事業發展初期的社會條件與消費狀況〉，中華傳播學刊 22 期，2012。
14. 洪致文，《臺灣鐵道文化志：解讀鐵道王國的文化密碼》，臺北：遠足文化，2011。
15. 洪致文，《臺灣鐵道傳奇》，臺北：時報文化，1992。
16. 唐台齡，《臺灣電視兒童節目半世紀之路：1962-2009》，臺北：巨流出版，2010。
17. 陳玉箴，〈日本化的西洋味：日治時期臺灣的西洋料理及臺人的消費實踐〉，臺灣史研究 20 卷 1 期，2013。
18. 陳龍廷，〈電視布袋戲的發展與變遷〉，《民俗曲藝》67、68 期「布袋戲專輯」，臺北：施合鄭民俗文化基金會，1990。
19. 彭威翔，《太陽旗下的制服學生》，臺北：遠足文化，2019。
20. 游珮芸，《日治時期臺灣的兒童文化》，臺北：玉山社，2007。
21. 廖怡錚，《女給時代：1930 年代臺灣的珈琲店文化》，臺北：東村出版，2012。
22. 臺灣文學工作室，《百年不退流行的臺北文青生活案內帖》，臺北：本事出版，2015。
23. 劉麗卿，《清代臺灣八景與八景詩》，臺北：文津出版社，2002。
24. 鄭睦群，〈美麗島的歲月：新總統的就職選曲，曾是不能在臺灣傳唱的禁歌〉，https://gushi.tw/banned-song-formosa/
25. 鄭麗玲，《耀動的青春：日治臺灣的學生生活》，臺北：蔚藍文化，2015。
26. 蕭瓊瑞，《圖說臺灣美術史 II 渡臺讚歌》，臺北：藝術家出版社，2013。

○●◑ 少年知識家

故事臺灣史 4：
22 個代表臺灣的關鍵事物

作　　者｜林于煖、胡川安、郭忠豪、涂欣凱、陳世芳、
　　　　　陳坤毅、藍秋惠、萬育萃
文字協力｜林欣靜、王日清
繪　　者｜慢熟工作室
審　　定｜陳文松（國立成功大學歷史系教授）

責任編輯｜楊琇珊
美術設計｜陳采瑩
行銷企劃｜葉怡伶

天下雜誌群創辦人｜殷允芃
董事長兼執行長｜何琦瑜
兒童產品事業群
副總經理｜林彥傑
總 編 輯｜林欣靜
版權主任｜何晨瑋、黃微真

出 版 者｜親子天下股份有限公司
地　　址｜臺北市 104 建國北路一段 96 號 4 樓
電　　話｜（02）2509-2800　傳真｜（02）2509-2462
網　　址｜www.parenting.com.tw
讀者服務專線｜（02）2662-0332
週一～週五：09:00~17:30
讀者服務傳真｜（02）2662-6048
客服信箱｜parenting@cw.com.tw
法律顧問｜台英國際商務法律事務所・羅明通律師
製版印刷｜中原造像股份有限公司
總 經 銷｜大和圖書有限公司　電話｜（02）8990-2588
出版日期｜2020 年 6 月第一版第一次印行
　　　　　2022 年 9 月第一版第九次印行
定　　價｜380 元
書　　號｜BKKKC150P
Ｉ Ｓ Ｂ Ｎ｜978-957-503-610-2（平裝）

訂購服務 ────────────
親子天下 Shopping｜shopping.parenting.com.tw
海外・大量訂購｜parenting@cw.com.tw
書香花園｜臺北市建國北路二段 6 巷 11 號
電話（02）2506-1635
劃撥帳號｜50331356 親子天下股份有限公司

國家圖書館出版品預行編目 (CIP) 資料

故事臺灣史 . 4：22 個代表臺灣的關鍵事
物／林于煖等作；慢熟工作室繪 . -- 第一版 .
-- 臺北市：親子天下，2020.06
160 面；18.5×24.5 公分
ISBN 978-957-503-610-2（平裝）
1. 臺灣史 2. 通俗作品

733.21　　　　　　　　　　109006248

圖片出處：
p.10,15,18,26,32,38,44,52,60 ,82 ,88,94,100,106,112,
126,132,138,144,150 By Shutterstock.com
p.39 清傅恆等奉敕撰《皇清職貢圖》：國立故宮博
物院／故畫 004248
p.64 By Venation [CC BY-SA 3.0],via Wikimedia
Commons
p.66 By E21201 [CC BY-SA 4.0],via Wikimedia
Commons
p.71 By Yoshitoshi Tsukioka（月岡 芳年）, [Public
Domain],via WikimediaCommons
p.74 陳坤毅提供
p.118 林家蓁提供
p.121 By 黃氏鳳姿 [Public Domain],via Wikimedia
Commons
p.153 張信昌 50 年代博物館 [Public Domain],via
Wikimedia Commons
影片連結提供：臺灣吧、公視青春發言人

立即購買 >